vive le français!

HORIZONS

1

G. Robert McConnell
Coordinator of Modern Languages
Scarborough Board of Education
Scarborough, Ontario

Rosemarie Giroux Collins
Wellington County
Board of Education
Guelph, Ontario

cahier d'activités

Addison-Wesley Publishers Limited
Don Mills, Ontario • Reading, Massachusetts • Menlo Park, California
New York • Wokingham, England • Amsterdam • Bonn • Sydney
Singapore • Tokyo • Madrid • San Juan • Paris • Seoul
Milan • Mexico City • Taipei

Design and Illustration
Pronk & Associates
Illustrators
Emilio Bandera, Graham Bardell, Thach Bui,
Ian Carr, Chuck Gammage, Heather Graham,
Peter Grau, Paul McCusker, Peter Moehrle,
Bill Payne, Steve Pilcher, Barbara Reid,
Mark Summers

Cover Illustration
Mark Summers

Songs
Andrew Donaldson

Pearson Education Canada.

Printed in Canada

ISBN 0-201-17932-6

table des matières

je me souviens!

Qu'est-ce que c'est?		
	singulier	**pluriel**
masculin	C'est <u>un</u> crayon.	C'est <u>des</u> crayon<u>s</u>.
féminin	C'est <u>une</u> gomme.	C'est <u>des</u> gomme<u>s</u>.

A *un* ou *une*?

	un	une		pluriel
1.	✔	☐	livre	*des livres*
2.	☐	✔	party	*des partys*
3.	☐	☐	auto	
4.	☐	☐	disque	
5.	☐	☐	bicyclette	
6.	☐	☐	stade	

B *masculin* ou *féminin*?

1. stylo	3. billet	5. craie	7. chandail	9. pantalon
2. maison	4. tourne-disque	6. école	8. cassette	10. chemise

masculin	féminin	pluriel
1. un stylo		*des stylos*
	2. une maison	*des maisons*

C   du pluriel au singulier!

Est-ce que c'est **un** ou **une**?

1. des gommes   _une gomme_
2. des pupitres   _un pupitre_
3. des mères   _____
4. des avions   _____
5. des supermarchés   _____
6. des banques   _____
7. des soeurs   _____
8. des messages   _____
9. des films   _____
10. des comédies   _____

Où est le disque?

	singulier	pluriel
masculin	Voici le disque.	Voici les disques.
	Voici l'avion.	Voici les avions.
féminin	Voici la robe.	Voici les robes.
	Voici l'auto.	Voici les autos.

D   choisis bien!

Est-ce que c'est **le**, **la** ou **l'**?

	le	la	l'		pluriel
1.	☑	☐	☐	train	_les trains_
2.	☐	☑	☐	calculatrice	_les calculatrices_
3.	☐	☐	☑	école	_les écoles_
4.	☐	☐	☐	test	_____
5.	☐	☐	☐	auto	_____
6.	☐	☐	☐	match de hockey	_____
7.	☐	☐	☐	appartement	_____
8.	☐	☐	☐	maison	_____

Nom: _____

E *singulier* ou *pluriel*?

Est-ce que c'est **le**, **la**, **l'** ou **les**?

1. _____ soeur

2. _____ message

3. _____ avion

4. _____ guitare

5. _____ blouse

6. _____ nouvelles

7. _____ frère

8. _____ école

9. _____ autos

10. _____ jeans

F les changements

Est-ce que c'est **le**, **la**, **l'** ou **les**?

1. un stéréo   *le stéréo*

2. une rue   *la rue*

3. une avenue   *l'avenue*

4. des souliers   *les souliers*

5. un restaurant   _____

6. une banque   _____

7. un appartement   _____

8. un message   _____

9. des films   _____

10. une école   _____

---

les pronoms *il, elle, ils, elles*

noms	pronoms		noms	pronoms
Pierre	→ il		le livre	→ il
Marie	→ elle		la règle	→ elle
Marc et Paul	→ ils		l'avion	→ il
Lise et Anne	→ elles		l'auto	→ elle
Claire et Guy	→ ils		les cahiers	→ ils
			les craies	→ elles
			le stylo et la gomme	→ ils

G   les remplacements

noms	pronoms				noms	pronoms			
	il	elle	ils	elles		il	elle	ils	elles
1. Robert	☑	☐	☐	☐	6. le restaurant	☐	☐	☐	☐
2. Luc et Marc	☐	☐	☐	☐	7. l'auto	☐	☐	☐	☐
3. Chantal	☐	☐	☐	☐	8. la bicyclette	☐	☐	☐	☐
4. Henri et Anne	☐	☐	☐	☐	9. les disques	☐	☐	☐	☐
5. Lise et Marie	☐	☐	☐	☐	10. la table et la chaise	☐	☐	☐	☐

H   mais où?

Est-ce que c'est **il est, elle est**, **ils sont** ou **elles sont**?

1. Où est Roger? _____*Il est*_____ devant le stade.

2. Où sont Claire et Monique? _____ dans la maison.

3. Où est la mère de Lise? _____ dans la banque.

4. Où sont Alain et Georges? _____ derrière l'école.

5. Où est le supermarché? _____ dans la rue Leclair.

6. Où sont les billets? _____ sur le magnétophone.

7. Où sont Paul et Chantal? _____ dans le restaurant.

8. Où sont les cassettes? _____ sur la table.

9. Où est l'école? _____ derrière le cinéma.

10. Où sont le stylo et la règle? _____ sous le pupitre.

Nom: _____

```
┌─────────────────────────────────────────┐
│                                         │
│   le verbe être à l'affirmative          │
│                                         │
│   singulier      pluriel                 │
│                                         │
│   je suis        nous sommes             │
│   tu es          vous êtes               │
│   il est         ils sont                │
│   elle est       elles sont              │
│                                         │
└─────────────────────────────────────────┘
```

I   être ou ne pas être?

La forme correcte du verbe **être**, s'il te plaît!

1. Je … fatigué! ▶ *Je suis fatigué!*
2. Nous … devant le restaurant.
3. Je … content.
4. Vous … d'ici?
5. Tu … le frère de Paul?

6. Est-ce que Monique … fâchée?
7. L'avion … rapide.
8. Roger et Henri … pénibles!
9. Les souliers … sous la table.
10. Elles … devant l'école.

```
┌─────────────────────────────────────────────────────────────────────┐
│                                                                     │
│   le verbe être à la négative                                        │
│                                                                     │
│   singulier          pluriel                                         │
│                                                                     │
│   je ne suis pas     nous ne sommes pas                              │
│   tu n'es pas        vous n'êtes pas      attention!                 │
│   il n'est pas       ils ne sont pas      C'est un disque.   Ce n'est pas un disque. │
│   elle n'est pas     elles ne sont pas    C'est des avions.  Ce n'est pas des avions.│
│                                                                     │
└─────────────────────────────────────────────────────────────────────┘
```

J   mais non!

Mets chaque phrase à la négative!

1. C'est un stylo.   … un stylo. ▶*Ce n'est pas un stylo.*
2. Vous êtes d'ici?   … d'ici?
3. Nous sommes fatigués.   … fatigués.
4. Il est là.   … là.
5. Elles sont contentes.   … contentes.
6. Tu es fort.   … fort.
7. Je suis devant Lucie.   … devant Lucie.
8. C'est des billets.   … des billets.

le verbe *avoir* à l'affirmative	
singulier	**pluriel**
j'ai	nous avons
tu as	vous avez
il a	ils ont
elle a	elles ont

K   c'est le verbe *avoir*!

La forme correcte du verbe **avoir**, s'il te plaît!

1. Tu ... des cassettes?   ► *Tu as des cassettes?*
2. Nous ... un test demain.
3. Ils ... un chien.
4. J'... un tourne-disque.
5. Christine ... deux soeurs.
6. Est-ce que vous ... des billets?
7. Le frère de Lise ... une calculatrice.
8. Tu ... un chat?

le verbe *avoir* à la négative			
singulier	**pluriel**	**attention!**	
je n'ai pas	nous n'avons pas		
tu n'as pas	vous n'avez pas	J'ai un stylo.	Pierre n'a pas de stylo.
il n'a pas	ils n'ont pas	Louise a une guitare.	Je n'ai pas de guitare.
elle n'a pas	elles n'ont pas	Nous avons des disques.	Ils n'ont pas de disques.

L   au contraire!

1. J'ai un stylo, mais tu ... stylo.   ► *J'ai un stylo, mais tu n'as pas de stylo.*
2. Il a une guitare, mais je ... guitare.
3. Vous avez un test, mais nous ... test.
4. Nous avons des disques, mais ils ... disques.
5. Ils ont des cassettes, mais vous ... cassettes.
6. J'ai un chien, mais il ... chien.
7. Pierre a une bicyclette, mais Anne ... bicyclette.
8. Tu as des jeans, mais elles ... jeans.

Nom: _____

M *avoir* ou *être*?

Encercle la forme correcte du verbe!

1. Est-ce que tu (es, as) malade?
2. Denise (est, a) trois frères.
3. De quelle couleur (est, a) l'auto?
4. Est-ce que Marc (a, est) là?
5. Marie, Chantal et Louis (ont, sont) dans la maison.
6. Nous (sommes, avons) contents!
7. Vous (êtes, avez) un tourne-disque?
8. Qui (a, est) des cassettes?
9. Nous (sommes, avons) des disques.
10. Elles (sont, ont) formidables!
11. J'(ai, suis) une bicyclette rouge.
12. De quelle couleur (ont, sont) les souliers?

N la création des phrases!

Compose neuf phrases!

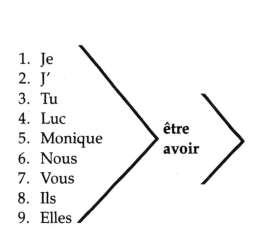

1. Je
2. J'
3. Tu
4. Luc
5. Monique
6. Nous
7. Vous
8. Ils
9. Elles

être avoir

petite.
content.
dans le stade.
d'ici.
un test demain.
onze ans.
grands.
là.
fortes.
la soeur de Paul.
de Winnipeg.
pénible.
vingt disques.
dans le restaurant.
devant l'école.
dans le cinéma.

les verbes en *-er* au singulier			
aimer	**porter**	**regarder**	**habiter**
j'aime	je porte	je regarde	j'habite
tu aimes	tu portes	tu regardes	tu habites
il aime	il porte	il regarde	il habite
elle aime	elle porte	elle regarde	elle habite

O ah, les verbes!

Choisis le bon verbe et écris la forme correcte!

1. Je _porte_ un pantalon brun.

2. Est-ce que tu _____ la musique?

3. Sylvie _____ dans un appartement.

4. Où est-ce que tu _____ ?

5. André _____ un film.

6. Qu'est-ce que tu _____ à la télé?

7. Tu _____ trois chandails!

8. J' _____ les jeans!

> aimer
> porter
> regarder
> habiter

P quel verbe? quelle forme?

1. Je (regarder, habiter) un film. Je _regarde_ un film.

2. Est-ce que tu (porter, aimer) les autos? Est-ce que tu _____ les autos?

3. Il (être, porter) d'ici. Il _____ d'ici.

4. Marc (habiter, avoir) à Toronto. Marc _____ à Toronto.

5. Tu (avoir, être) contente, Chantal? Tu _____ contente, Chantal?

6. Elle (porter, habiter) un chapeau rouge. Elle _____ un chapeau rouge.

les adjectifs

singulier		pluriel	
masculin	**féminin**	**masculin**	**féminin**
Il est malade.	Elle est malade.	Ils sont malades.	Elles sont malades.
Il est petit.	Elle est petite.	Ils sont petits.	Elles sont petites.
Il est fatigué.	Elle est fatiguée.	Ils sont fatigués.	Elles sont fatiguées.

Q   comment sont-ils?

1. Pierre est grand. Marie est ___*grande*___ aussi.

2. Georges est triste. Suzanne est _____ aussi.

3. Marc est fâché. Alice est _____ aussi.

4. Paul et Guy sont forts. Lise et Anne sont _____ aussi.

5. Le chien est petit. La souris est_____ aussi.

6. Le chapeau est vert. La robe est_____ aussi.

7. Les chats sont bruns. Les vaches sont_____ aussi.

8. Ils sont contents. Elles sont _____ aussi.

R   les professions!

► *Elle est professeur.*

docteurs
astronautes
professeur
pilotes
dentiste
artiste
garagiste

S une interview!

Complète avec la bonne expression!

- Bonjour! ... t'appelles-tu?
- Je m'appelle Claudette.
- ... âge as-tu?
- J'ai onze ans.
- C'est ..., ton anniversaire?
- C'est le douze décembre.
- ... est-ce que tu habites?
- J'habite 14, rue Levert.
- ... tu aimes la télé?
- Bien sûr, j'aime la télé!
- ... tu regardes à la télé?
- Moi, je regarde les matchs de hockey.
- ...?
- Parce que j'aime le hockey!

où
pourquoi
est-ce que
quand
comment
qu'est-ce que
quel

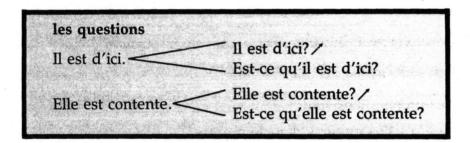

les questions

Il est d'ici. — Il est d'ici? /
Est-ce qu'il est d'ici?

Elle est contente. — Elle est contente? /
Est-ce qu'elle est contente?

T les questions!

Change chaque phrase à deux questions!

1. C'est une auto. ► *C'est une auto?*
   ► *Est-ce que c'est une auto?*
2. Il est malade.
3. Il a deux bicyclettes.
4. Tu es fort.
5. Elle aime le football.

Nom: _____

> ### il y a et il n'y a pas de
>
> – Il y a <u>un</u> match à la télé?
> – Non, il <u>n'y</u> a <u>pas de</u> match à la télé.
>
> – Il y a <u>une</u> banque dans la rue Marchand?
> – Non, il <u>n'y</u> a <u>pas de</u> banque dans la rue Marchand.
>
> – Il y a <u>des</u> disques pour la party?
> – Non, il <u>n'y</u> a <u>pas de</u> disques pour la party.

U *oui* ou *non?*

Réponds à chaque question!

1. – Est-ce qu'il y a un film à la télé?
   – Oui, *il y a un film* à la télé.

2. – Est-ce qu'il y a un train dans la maison?
   – Non, *il n'y a pas de train* dans la maison!

3. – Est-ce qu'il y a une bicyclette dans la rue?
   – Oui, _____ dans la rue.

4. – Est-ce qu'il y a des disques sur le stéréo?
   – Oui, _____ sur le stéréo.

5. Est-ce qu'il y a des guitares dans le pupitre?
   – Non, _____ dans le pupitre!

6. – Est-ce qu'il y a un chameau dans le restaurant?
   – Non, _____ dans le restaurant!

UNITÉ 1

j'écoute!

A *tu ou vous?* ●●

	1	2	3	4	5	6
tu	☐	☐	☐	☐	☐	☐
vous	☑	☐	☐	☐	☐	☐

B *oui ou non?* ●●

	1	2	3	4	5	6	7	8
oui	☐	☐	☐	☐	☐	☐	☐	☐
non	☑	☐	☐	☐	☐	☐	☐	☐

C *question ou réponse?* ●●

	1	2	3	4	5	6	7	8
question	☑	☐	☐	☐	☐	☐	☐	☐
réponse	☐	☐	☐	☐	☐	☐	☐	☐

D les descriptions ●●

	V	F
1. Marc a les cheveux blonds.	☑	☐
2. Lise a les yeux bruns.	☐	☐
3. Monique a les yeux noirs.	☐	☐
4. Marcel a les cheveux roux.	☐	☐
5. M. Dubé a les cheveux gris.	☐	☐
6. Mlle Laval a les yeux verts.	☐	☐
7. Chantal a les yeux bleus.	☐	☐
8. Mme Leclair a les cheveux bruns.	☐	☐

16

Nom: _____

E pardon? ●●

1. G U Y
2. ☐ ☐ ☐ ☐ ☐ ☐ ☐
3. ☐ ☐ ☐ ☐
4. ☐ ☐ ☐ ☐ ☐ ☐ ☐ ☐
5. ☐ ☐ ☐ ☐ ☐ ☐ ☐

F les informations ●●

1. Paul regarde (une comédie, un match de hockey, un match de football).
2. Monsieur Latour est dans (le bureau, la cour, le gymnase).
3. Roc Leroc est (formidable, fâché, fort).
4. Janine porte (une robe brune, une blouse blanche, une jupe blanche).
5. Dans la classe, il y a (33 élèves, 35 élèves, 32 élèves).

G où sont-ils? ●●

1. dans *la maison*
2. dans _____
3. dans _____
4. dans _____
5. dans _____
6. dans _____

| la maison |
| le stade |
| le supermarché |
| la bibliothèque |
| la cafétéria |
| la salle de classe |

H qu'est-ce que c'est? ●●

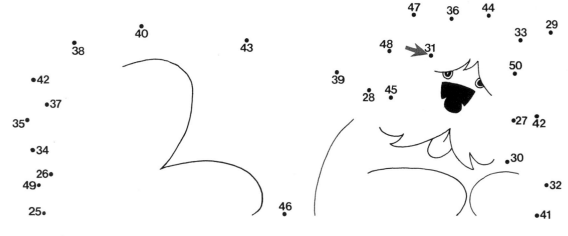

je prononce bien!

A *oui* ou *non?* ●●

	1	2	3	4	5	6	7	8	9	10
oui	☑	☐	☐	☐	☐	☐	☐	☐	☐	☐
non	☐	☐	☐	☐	☐	☐	☐	☐	☐	☐

B la liaison ●●

(a) des, les, deux, trois, nous, vous, c'est

(b) des élèves, les autos, deux ans, trois écoles, nous avons, vous êtes, c'est un stéréo

(c) 1. Nous avons des autos.

2. C'est un gymnase.

3. Vous êtes sympa!

4. Nous avons un test.

5. Elle a trente-trois ans.

6. Voilà deux avions.

7. Il a huit ans.

C c'est différent! ●●

	1	2	3	4	5	6	7	8
beau	☑	☐	☐	☐	☐	☐	☐	☐
père	☐	☐	☐	☐	☐	☐	☐	☐

D choisis bien! ●●

	1	2	3	4	5	6	7	8
mardi	☑	☐	☐	☐	☐	☐	☐	☐
neuf	☐	☐	☐	☐	☐	☐	☐	☐

Nom: _____

j'écris!

A les sujets

Dans chaque phrase, encercle le sujet!

1. (Je) suis de Vancouver.
2. (Les autos) sont dans la rue.
3. Tu aimes les sports?
4. Vous avez un test demain.

5. Margot porte des jeans.
6. J'habite dans une maison.
7. Le disque est formidable!
8. Le professeur aime la musique.

B les verbes

Dans chaque phrase, souligne le verbe!

1. Marie aime les sports.
2. Paul et Marie ont les yeux bleus.
3. Le professeur est dans la classe.
4. Il habite dans une maison.

5. Tu portes des jeans?
6. Nous sommes d'ici.
7. M. et Mme Leclair ont une voiture.
8. Monique a les cheveux blonds.

C l'école Frontenac

Qu'est-ce que c'est?

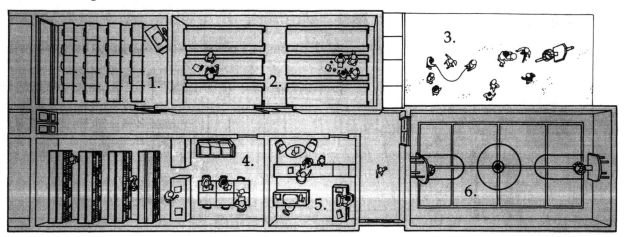

1. _C'est une salle de classe._
2. _____
3. _____
4. _____
5. _____
6. _____

| une cour |
| un gymnase |
| une salle de classe |
| une bibliothèque |
| un bureau |
| une cafétéria |

Nom: _____

D où est Janine?

1. _Elle est dans la bibliothèque._
2. _Elle est_ _____
3. _Elle est_ _____
4. _Elle est_ _____
5. _Elle est_ _____
6. _Elle est_ _____

E les adjectifs

Complète les phrases avec la forme correcte de l'adjectif!

1. (blanc, blanche) La maison est _blanche._ _____

2. (gris, grises) Les souris sont _____

3. (verts, vertes) Les jeans sont _____

4. (bleu, bleue) Le chapeau est _____

5. (bruns, brunes) Les bicyclettes sont _____

6. (blanc, blanche) L'auto est _____

F les questions

Complète les dialogues!

1. – _Où_ est Paul?

   – Il est dans le gymnase.

   – _____?

   – Parce qu'il a un match de basket-ball.

2. – _____ tu aimes la musique?

   – Bien sûr! J'aime ça!

   – _____ disques est-ce que tu as?

   – J'ai vingt disques.

   – Formidable!

3. – Tu as une soeur?

   – Oui, elle s'appelle Margot.

   – _____ est-elle?

   – Elle a les cheveux blonds et les yeux gris.

4. – _____ a des disques? C'est pour une party.

   – Roger a des disques. C'est _____, la party?

   – Samedi.

   – Formidable!

5. – Est-ce que Paulette est là?

   – Oui, elle regarde la télé.

   – _____ elle regarde?

   – Elle regarde une comédie.

pourquoi
combien de
est-ce que
qu'est-ce qu'
où
quand
comment
qui

bon voyage!

A c'est Marcel!

*Read Marcel's composition and answer the questions! Then read
his student card and fill out a student card for yourself!*

Bonjour!

*Je m'appelle Marcel. J'ai onze ans, et mon anniversaire,
c'est le 25 novembre. J'ai les cheveux noirs et les
yeux bruns.*

*J'habite dans un appartement dans l'avenue Boucher. Je
suis de Trois-Pistoles dans la province de Québec.*

*J'ai deux soeurs et un frère. Ils sont formidables!
J'aime la musique et les partys!*

1. Quel âge a Marcel? *Il a* _____ _____ .

2. C'est quand, l'anniversaire de Marcel? *C'est le* _____
_____ .

3. Comment est-il? *Il a* _____ _____ _____
_____ _____ _____ _____ .

4. Où est-ce qu'il habite? *Il habite* _____
_____
_____ .

5. Il est d'ici? *Non, il est* _____ _____
_____ _____ _____
_____ _____ _____ .

6. Marcel a combien de soeurs et de frères? *Il a* _____
_____ _____ _____

7. Comment sont-ils? *Ils sont* _____ _____!

8. Qu'est-ce que Marcel aime? *Il aime* _____ _____
_____ _____ _____!

Nom: _____

Marcel

nom de famille:	Duval
prénom:	Marcel
adresse:	39, avenue Boucher
ville:	Trois-Pistoles
province:	Québec
âge:	11 ans
couleur des cheveux:	noirs
couleur des yeux:	bruns
professeur:	M. Lecarreau
numéro de téléphone:	342-0259
signature:	Marcel Duval

toi

nom de famille:	
prénom:	
adresse:	
ville:	
province:	
âge:	ans
couleur des cheveux:	
couleur des yeux:	
professeur:	
numéro de téléphone:	
signature:	

B un message pour Roc Leroc

Roc Leroc has received a coded message from one of his fans. Qu'est-ce que c'est?

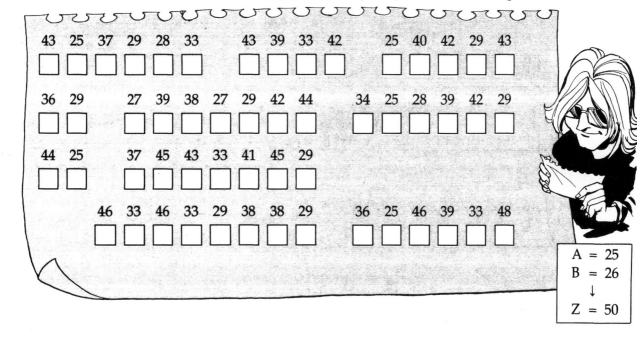

43 25 37 29 28 33   43 39 33 42   25 40 42 29 43

36 29   27 39 38 27 29 42 44   34 25 28 39 42 29

44 25   37 45 43 33 41 45 29

46 33 46 33 29 38 38 29   36 25 46 39 33 48

A	=	25
B	=	26
	↓	
Z	=	50

Identify each picture, then find the words in the puzzle!

1. un ☐☐☐☐☐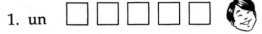

2. un ☐☐☐☐☐☐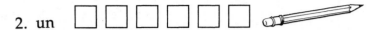

3. un m a g n é t o p h o n e

4. un ☐☐☐☐

5. un ☐☐☐☐☐☐

6. un ☐☐☐☐

7. un ☐☐☐☐☐☐☐☐☐

8. un ☐☐☐☐☐☐☐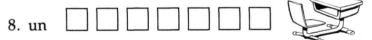

9. une ☐☐☐☐☐☐☐☐

10. un ☐☐☐☐☐

11. une ☐☐☐☐☐☐☐☐☐☐☐

```
B M A G N E T O P H O N E
I L I L Y V R B H E I Y V
B I R R T M B U D G R O E
L F E T O R N U A P I S L
I P T V L T A A R E G L E
O S E D M A I O S E A L M
T I F B C U F T C E A P E
H R A S V E L I V R E U R
E T C T S L M G L A O R T
Q V H S C R A C I L B I I
U Z E U G H E T T S E T P
E U P I C O U R A P L V U
R U R C C R A Y O N N S P
```

12. une ☐☐☐☐☐

13. un ☐☐☐☐☐

14. une ☐☐☐☐☐

15. une ☐☐☐☐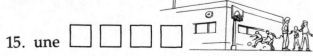

D mots croisés: les couleurs

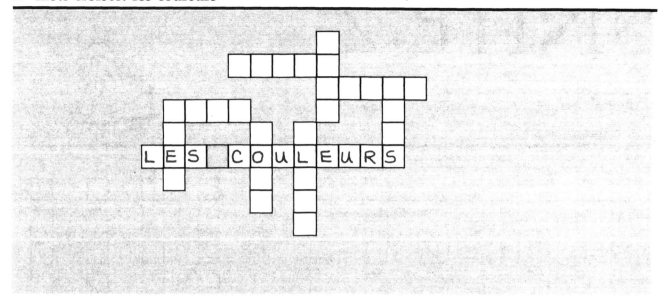

E en français: imagine!

You have just started classes at a bilingual school and you have to speak French. How would you . . .

1. introduce yourself to your classmates?
2. introduce yourself to your teacher?
3. say where you are from?
4. ask the person next to you his or her name?
5. ask how many classrooms there are?
6. ask if there is a cafeteria?
7. ask where the gymnasium is?
8. say what you like and what you don't like?
9. thank your new friends?
10. say goodbye to your friends?

UNITÉ 2

j'écoute!

A les pronoms ●●

	1	2	3	4	5	6	7	8
il	☐	☐	☐	☐	☐	☐	☐	☐
ils	☐	☐	☐	☐	☐	☐	☐	☐
elle	☑	☐	☐	☐	☐	☐	☐	☐
elles	☐	☐	☐	☐	☐	☐	☐	☐

B choisis bien! ●●

1. – Tu (<u>écoutes</u>, écoutez) des cassettes?
   – Non, je (regardons, <u>regarde</u>) une comédie.

2. – Vous (écoutent, écoutez) souvent des disques?
   – Oui, nous (aimons, aimez) beaucoup la musique!

3. – Est-ce que tu (portes, portons) souvent des jeans?
   – Bien sûr! J'(adore, adorez) les jeans!

4. – Ils (aimons, aiment) la maison?
   – Ah, oui! Ils (adorez, adorent) la maison!

5. – Est-ce que Chantal (regardez, regarde) les nouvelles?
   – Tu parles! Elle n'(aime, aimons) pas les nouvelles.

6. – Qui (parle, parlez) français?
   – Nous (parlent, parlons) français!

C *oui* ou *non*? ●●

	1	2	3	4	5	6
oui	☑	☐	☐	☐	☐	☐
non	☐	☐	☐	☐	☐	☐

Nom: _____

E *vrai* ou *faux*? 👓

	1	2	3	4	5	6	7	8	9	10
vrai	☐	☐	☐	☐	☐	☐	☐	☐	☐	☐
faux	✓	☐	☐	☐	☐	☐	☐	☐	☐	☐

je prononce bien!

A *oui* ou *non*? ●●

	1	2	3	4	5	6	7	8
oui	✓	☐	☐	☐	☐	☐	☐	☐
non	☐	☐	☐	☐	☐	☐	☐	☐

B l'intonation ●●

(a) statements

1. Nous sommes d'ici. ⤵
2. C'est Marc Laval.
3. Ça va très bien.
4. Elle a deux frères.

(b) sentences beginning with a question word

1. Qui est-ce? ↘
2. Où est Jacqueline?
3. Combien font cinq et cinq?
4. Comment sont-ils?

(c) questions requiring a *oui* or *non* answer

1. Vous êtes de Montréal? ↗
2. Tu as des soeurs?
3. Est-ce qu'il regarde la télé?
4. Ils aiment ça?

C la liaison ●●

1. Nous écoutons les élèves.
2. Ils ont des amis sympa.
3. Elles habitent dans un appartement.
4. C'est un avion formidable!
5. Les autos sont à côté de la maison.

C'est un avion formidable!

D il y a une différence! ●●

	1	2	3	4	5	6	7	8
fille	✓	☐	☐	☐	☐	☐	☐	☐
vert	☐	☐	☐	☐	☐	☐	☐	☐

Nom: _____

j'écris!

A la même chose!

Écris la forme correcte du verbe à l'affirmative!

1. Monique aime la musique. Nous _____*aimons*_____ la musique aussi.

2. Paul regarde un film. Vous _____ un film aussi.

3. J'habite à Moncton. Ils _____ à Moncton aussi.

4. Tu portes des jeans. Elles _____ des jeans aussi.

5. Le professeur parle français. Les élèves _____ français aussi.

6. J'adore les comédies. Lise et Henri _____ les comédies aussi.

7. Colette aime la maison. Nous _____ la maison aussi.

8. M. Dupré écoute des disques. Paul et Claire _____ des disques aussi.

B mais non!

Écris la forme correcte du verbe à la négative!

1. Roger aime les sports, mais je _____*n'aime pas*_____ les sports.

2. Nous écoutons les nouvelles, mais ils _____ les nouvelles.

3. J'aime la maison, mais les Vanier _____ la maison.

4. Ils regardent les matchs, mais nous _____ les matchs.

5. J'habite dans une maison, mais elle _____ dans une maison.

6. Nous parlons français, mais vous _____ français.

7. Vous écoutez le professeur, mais elles _____ le professeur.

8. J'aime *Les Fanatiques*, mais tu _____ *Les Fanatiques*.

C une personne ou plusieurs?

Réponds aux questions! Est-ce que c'est **je** ou **nous**?

1. Est-ce que tu aimes le hockey?

   Oui, j'aime le hockey.

2. Lucien et Roger, est-ce que vous écoutez Marianne?

   Oui, nous écoutons Marianne.

3. Est-ce que vous habitez ici, mademoiselle?

   Oui, _____

4. Les élèves, est-ce que vous aimez les tests?

   Oui, _____

5. Est-ce que vous parlez français, monsieur?

   Oui, _____

6. Marie et Jeannette, est-ce que vous écoutez des disques?

   Oui, _____

7. Est-ce que tu regardes la télé?

   Oui, _____

8. Est-ce que tu habites dans un appartement?

   Oui, _____

D tu parles!

Complète le dialogue!

> bien sûr, d'accord, beaucoup, allons, souvent,
> ah non, chouettes, tu parles, regarde

ANNE – Oh là là! _____ *Regarde* _____ le stéréo!

MARC – Oui, j'aime _____ la musique.

ANNE – Est-ce que tu écoutes _____ *Les Plastiques*?

MARC – *Ah non* ! Ils sont horribles!

ANNE – Mais non! Ils sont _____ !

MARC – _____ ! Moi, j'adore *Les Jets*! Est-ce que tu as des disques?

ANNE – *Bien sûr* !

MARC – _____ chez toi!

ANNE – *D'accord* !

Nom: _____

E les prépositions

Réponds aux questions!

| sur, sous, devant, derrière, dans, à côté de, chez |

1. Où est Monique?

Elle est dans le garage.

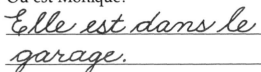

2. Où est Lise?

Elle _____

_____

3. Où sont les autos?

Elles _____

_____

4. Où sont les bicyclettes?

Elles _____

_____

5. Où est M. Lafleur?

Il _____

_____

F je pose des questions!

Lis le paragraphe et pose des questions!

Marianne est dans la salle de récréation. Elle regarde un match de hockey à la télé. Elle est très contente parce qu'elle adore les sports!

1. Où _____?

2. Qu'est-ce qu' _____?

3. Comment _____?

4. Pourquoi est-ce qu' _____?

bon voyage!

A chez moi

Écris les mots et devine le mot mystère!

J'habite dans une grande maison. Il y a . . .

1. un ☐ ☐ ☐ ☐ ☐
       1 2

2. une ☐ ☐ ☐ ☐ ☐   ☐ ☐   ☐ ☐ ☐ ☐ ☐ ☐ ☐ ☐ ☐ ☐
           3 4 5   6

3. un ☐ ☐ ☐ ☐ ☐ ☐
             7

4. une ☐ ☐ ☐ ☐ ☐ ☐ ☐   ☐   ☐ ☐ ☐ ☐ ☐ ☐
             8   9

5. une ☐ ☐ ☐ ☐ ☐ ☐ ☐
          10   11

6. une ☐ ☐ ☐ ☐ ☐ ☐   ☐ ☐ ☐ ☐ ☐ ☐
      12

et une ☐ ☐ ☐ ☐ ☐   ☐ ☐   ☐ ☐ ☐ ☐ ☐ !
      1 2 3 4 5   6 7   8 9 10 11 12

B les meubles

Where would you put the following items in your house?

   – La lampe?
   – Dans le salon!

une lampe

une tondeuse

une baignoire

un tapis

une commode

un piano

un téléphone

un sofa

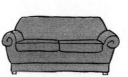
un bureau

une poubelle

un frigo

un lit

une douche

une radio

une table
de Ping-Pong

C les anagrammes

Découvre les adjectifs!

1. samyp ☐ ☐ ☐ ☐ ☐

2. toncent ☐ ☐ ☐ ☐ ☐ ☐ ☐

3. dimolebarf ☐ ☐ ☐ ☐ ☐ ☐ ☐ ☐ ☐ ☐

4. etchutoe ☐ ☐ ☐ ☐ ☐ ☐ ☐ ☐

5. berriloh ☐ ☐ ☐ ☐ ☐ ☐ ☐ ☐

D mots croisés: la maison

horizontalement

1. La salle de . . .
4. L' . . . est dans le garage.
5. Abréviation de **chaîne stéréophonique**.
6. J'écoute des . . .
7. À la . . .
10. L'auto est dans le . . .
11. La salle de . . .

verticalement

2. Il y a une table et des chaises dans la . . .
3. Le frigo est dans la . . .
8. Une . . . à coucher.
9. Il y a un sofa dans le . . .

Nom: _____

E   chez toi

Sur une feuille de papier, dessine le plan de ta maison ou de ton appartement! Identifie chaque pièce!

F   en français: les voisins!

A French family has just moved in next door to you. You notice a boy and a girl your age. You go over to their place. How would you . . .

1. *welcome them to your city?*
2. *say who you are and where you live?*
3. *ask them if they have any brothers and sisters?*
4. *ask them if they like the house or apartment?*
5. *ask them how many bedrooms there are?*
6. *ask them where they watch TV?*
7. *ask them what they watch on TV?*
8. *ask them if they like music?*
9. *tell them whose records you often listen to?*

UNITÉ 3

j'écoute!

A les questions ●●

	1	2	3	4	5	6	7	8	9	10
oui	✓	☐	☐	☐	☐	☐	☐	☐	☐	☐
non	☐	☐	☐	☐	☐	☐	☐	☐	☐	☐

B pardon? ●●

1. _Qui_ est dans le salon avec Marie?

2. _____ t'appelles-tu?

3. _____ vous êtes fatigué?

4. _____ tu écoutes?

5. _____ est-ce qu'elle est ici?

6. C'est _____ , un billet pour le match?

> comment
>
> combien
>
> qu'est-ce que
>
> est-ce que
>
> qui
>
> pourquoi

C ah, les verbes! ●●

1. aimez, (aimes)
2. avez, a
3. jouons, jouent
4. es, êtes
5. marque, marquez

6. jouent, jouons
7. êtes, est
8. porte, portez
9. habitez, habitent
10. écoutez, écoutons

D les activités ●●

E le basket-ball ●●

Cartier _____
Vanier _____

Frontenac _____   Cartier _____
Champlain _____   Frontenac _____   Cartier _____

Laurier _____   Talon _____   Laval _____
Talon _____   Laval _____

St-Pierre _____
Laval _____

Les champions: _____

F en ondes! ●●

1. C'est un match de soccer.	V	F
2. C'est pour le championnat.	V	F
3. C'est l'école Cartier contre l'école Frontenac.	V	F
4. Le score est 2 à 1.	V	F
5. Lise Dupont marque un but.	V	F
6. L'école Frontenac gagne le championnat.	V	F

je prononce bien!

A les accents et la cédille ●●

1. sévère   3. apres   5. voila   7. ca   9. derriere
2. allo   4. aout   6. age   8. cafeteria   10. francais

B l'orthographe ●●

1. é m i s s i o n   4. ☐☐☐☐☐

2. ☐☐☐☐☐☐   5. ☐☐☐☐☐☐☐

3. ☐☐☐☐☐

C choisis bien! ●●

	1	2	3	4	5	6	7	8
oui	✓	☐	☐	☐	☐	☐	☐	☐
non	☐	☐	☐	☐	☐	☐	☐	☐

D *oui* ou *non?* ●●

	1	2	3	4	5	6	7	8
oui	✓	☐	☐	☐	☐	☐	☐	☐
non	☐	☐	☐	☐	☐	☐	☐	☐

E *s* ou *z?* ●●

1. salon ____
2. (chaise)
3. cuisine
4. monsieur
5. question
6. sport
7. gymnase
8. instant
9. Louise
10. musique

j'écris!

A les options

Pose des questions avec **est-ce que (est-ce qu')**!

1. Tu regardes la télé?

   Est-ce que tu regardes la télé?

2. Il est dans le gymnase?

   _____

3. Vous parlez français?

   _____

4. Elles habitent ici?

   _____

5. Il y a un match après les classes? _____

   _____

6. Elle porte un chandail?

   _____

B une description de Marc Talon

Pose des questions!

Il s'appelle Marc Talon. Il a onze ans.

1. – Où *est-ce qu'il habite* _____?
   – Il habite 59, rue Lepanier.

2. – _____ les sports?
   – Oui, il aime les sports.

3. – _____ au basket-ball?
   – Oui, il joue au basket-ball.

4. – D'habitude, combien de points _____
   dans un match?
   – Il marque 30 points.

5. – _____ grand?
   – Naturellement!

C où est-ce que tu es?

| un gymnase, un cinéma, un restaurant, une bibliothèque, un stade, un salon |

1. Tu regardes un match de football. Où est-ce que tu es?
   Je suis dans un stade.

2. Tu adores la pizza. Où est-ce que tu es?

   _____

3. Tu aimes beaucoup les films. Où est-ce que tu es?

   _____

4. Tu adores les livres. Où est-ce que tu es?

   _____

5. Tu aimes beaucoup la télé. Où est-ce que tu es?

   _____

6. Tu adores le volley-ball. Où est-ce que tu es?

   _____

D les mois et les sports

Complète les phrases!

il fait froid
il fait chaud
il fait frais
il fait beau

> joue >

au volley-ball
au basket-ball
au baseball
au hockey
au soccer
au football
au tennis

1. C'est avril. Il _____ .

   Je _____ .

2. C'est août. Il _____ .

   Je _____ .

3. C'est octobre. Il _____ .

   Je _____ .

4. C'est février. Il _____ .

   Je _____ .

E la prononciation

Regarde le son souligné dans le mot modèle! Écris les mots de la liste qui ont le même son!

maison, d'accord, bravo, aimer, Marie, habiter

1. m<u>a</u>d<u>a</u>me: _____

regarde, parlez, devant, interview, vendredi

2. d<u>e</u>main: _____

comédie, mais, père, et, être, avec, hiver

3. apr<u>è</u>s: _____

seize, chez, fâché, Denise, jouer, j'ai, Roger

4. t<u>é</u>lé: _____

F questions personnelles

Réponds aux questions par des phrases complètes!

1. Qu'est-ce que tu portes aujourd'hui?

   Je porte

2. Est-ce que tu joues au soccer?

   Oui,/Non, je

3. Qu'est-ce que tu aimes? (deux choses)

   J'aime

4. Qu'est-ce que tu regardes à la télé?

   Je regarde

5. Où est-ce que tu regardes la télé?

   Je regarde la télé

bon voyage!

A les sports

▶ **Je porte des patins quand je joue au hockey.**

des souliers
de tennis

un maillot

un short

un T-shirt

des patins

un casque

une casquette

B les équipements

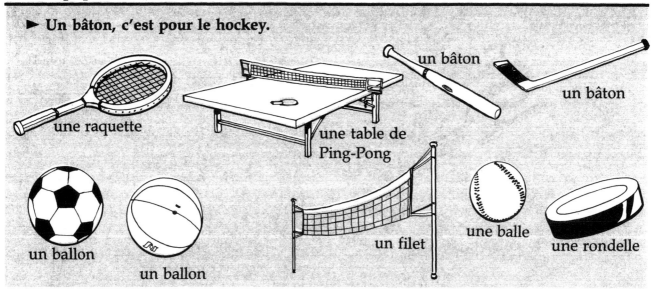

► **Un bâton, c'est pour le hockey.**

un bâton

un bâton

une raquette

une table de
Ping-Pong

un ballon

un ballon

un filet

une balle

une rondelle

C les catégories

1. Le soccer, c'est un sport. Le _____,
   c'est un sport aussi.
2. La cuisine, c'est une pièce. La _____,
   c'est une pièce aussi.
3. Octobre, c'est un mois. _____,
   c'est un mois aussi.
4. Dix, c'est un nombre. _____,
   c'est un nombre aussi.
5. L'anglais, c'est une langue. Le _____,
   c'est une langue aussi.
6. Lundi, c'est un jour de la semaine. _____,
   c'est un jour de la semaine aussi.

D des phrases complètes, s'il te plaît!

1. J'adore _____

2. Je n'aime pas _____

3. J'écoute souvent _____

4. Je regarde _____

5. Je joue _____

6. J'aime l'émission _____

7. D'habitude, je porte _____

8. Je parle _____

E le caméraman

Décris la scène!

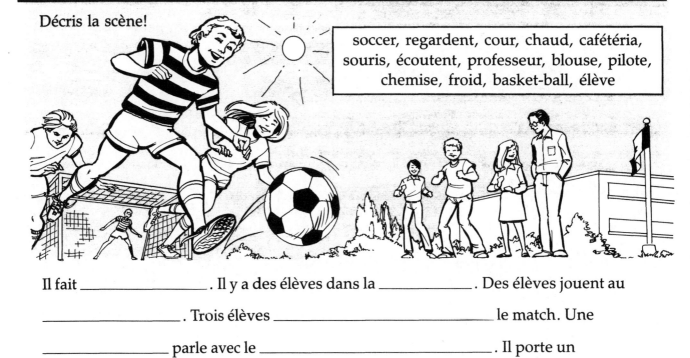

soccer, regardent, cour, chaud, cafétéria,
souris, écoutent, professeur, blouse, pilote,
chemise, froid, basket-ball, élève

Il fait _____ . Il y a des élèves dans la _____ . Des élèves jouent au

_____ . Trois élèves _____ le match. Une

_____ parle avec le _____ . Il porte un

pantalon et une _____ .

F jouons au loto!

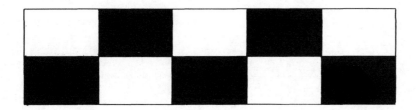

Write 5 different numbers from 44 to 69 in the blank spaces.
One student will call out numbers from 44 to 69 at random.
When all of your 5 numbers have been called, shout ''Loto!''
Then read back your 5 numbers.

G en français: le match!

Your friend on the soccer team is about to leave for a game. How would you . . .

1. *ask where the game is?*
2. *ask if it is for the championship?*
3. *ask if he or she often scores goals?*
4. *ask if there is a party?*
5. *wish him or her good luck?*

QUE SAIS-JE?

j'écoute!

A *affirmative* (+), *négative* (−), *interrogative* (?) ●●

1	2	3	4	5	6	7	8	9	10
☐	☐	☐	☐	☐	☐	☐	☐	☐	☐

B *masculin* ou *féminin?* ●●

	1	2	3	4	5	6	7	8	9	10
masculin	☐	☐	☐	☐	☐	☐	☐	☐	☐	☐
féminin	☐	☐	☐	☐	☐	☐	☐	☐	☐	☐

C *singulier* ou *pluriel?* ●●

	1	2	3	4	5	6	7	8
singulier	☐	☐	☐	☐	☐	☐	☐	☐
pluriel	☐	☐	☐	☐	☐	☐	☐	☐

D la rue Horizon ●●

E les sentiments ●●

F salut, Richard! ●●

☐ 1. Quel âge a Richard?

    A Il a treize ans.
    B Il a douze ans.
    C Il a onze ans.

☐ 2. Comment est la maison de Richard?

    A Elle est petite.
    B Elle est rouge.
    C Elle est grande.

☐ 3. Il y a combien de chambres à coucher?

    A Il y a quatre chambres.
    B Il y a deux chambres.
    C Il y a trois chambres.

☐ 4. Qu'est-ce que Richard adore?

    A Il adore les films.
    B Il adore les comédies.
    C Il adore la musique.

☐ 5. Il marque souvent des points. Pourquoi?

    A Parce qu'il n'aime pas les sports.
    B Parce qu'il est grand.
    C Parce qu'il est sympa.

je prononce bien!

A la liaison ●●

1. Ils ont deux autos.

2. Ils habitent dans un appartement.

3. Est-ce qu'ils écoutent les élèves?

4. Ils sont horribles!

5. Nous aimons les émissions.

B l'intonation ●●

(a) statements: Il fait beau. ⌒
(b) questions that begin with a question word: Où est-il? ╲
(c) questions which may be answered by oui **or** non: Tu joues au soccer? ╱

1. ☐   2. ☐   3. ☐   4. ☐   5. ☐   6. ☐

Nom: _____

C les accents et la cédille ●●

(a) l'accent aigu: é   **(c)** l'accent circonflexe: ê
(b) l'accent grave: è   **(d)** la cédille: ç

☐ 1. allo   ☐ 3. cinema   ☐ 5. apres   ☐ 7. age

☐ 2. francais   ☐ 4. garcon   ☐ 6. voila   ☐ 8. ca

D ça rime! ●●

	1	2	3	4	5	6	7	8	9	10
oui	☐	☐	☐	☐	☐	☐	☐	☐	☐	☐
non	☐	☐	☐	☐	☐	☐	☐	☐	☐	☐

j'écris!

A choisis bien!

Choisis A, B ou C!

☐ 1. Une réponse correcte à la question **Qui est-ce?** c'est. . .
   A C'est des élèves.   **B** C'est des disques.   **C** Ça va bien, merci.

☐ 2. Paul parle avec madame Duval. Il utilise le pronom. . .
   A il   **B** vous   **C** tu

☐ 3. Une réponse correcte à la question **C'est quand, le match?** c'est. . .
   A Après les classes.   **B** Formidable!   **C** Oui, c'est un match.

☐ 4. Si le pronom **tu** est dans la question, dans la réponse il y a le pronom. . .
   A tu   **B** nous   **C** je

☐ 5. Le pluriel de **je parle**, c'est. . .
   A tu parles   **B** vous parlez   **C** nous parlons

☐ 6. Le mot **toi** rime avec. . .
   A mais   **B** voici   **C** pourquoi

☐ 7. Le contraire de **j'aime**, c'est. . .
   A j'adore   **B** je ne joue pas   **C** je n'aime pas

☐ 8. Dans une école, il n'y a pas de. . .
   A stade   **B** gymnase   **C** bureau

☐ 9. **Mme** est l'abréviation de. . .
   A monsieur   **B** mademoiselle   **C** madame

☐ 10. D'habitude, nous regardons la télé dans. . .
   A le garage   **B** le salon   **C** la salle de bains

Nom: _____

B situations / réactions

Choisis une réaction pour chaque situation!

☐ 1. ''Après les classes, je joue au soccer. C'est pour le championnat!''

☐ 2. ''Les élèves, il n'y a pas de test demain.''

☐ 3. ''Salut! Je m'appelle Étienne Sébastien Napoléon de Maisonneuve!''

☐ 4. ''Louise n'est pas à la party. Elle est malade.''

☐ 5. ''C'est mon anniversaire aujourd'hui!''

☐ 6. ''Tu écoutes souvent *Les Jets*?''

☐ 7. ''J'ai un disque pour toi!''

☐ 8. ''Regarde le stéréo et le magnétophone!''

☐ 9. ''D'habitude, tu marques deux buts dans un match?''

☐ 10. ''Il y a un concert de rock demain!''

A ''Pardon?''

B ''Merci beaucoup! J'adore *Les Turbos*!''

C ''Bonne fête!''

D ''Alors, bonne chance!''

E ''Bien sûr! Pour moi, c'est facile!''

F ''C'est dommage!''

G ''Oh là là! Ils sont fantastiques!''

H ''Tu parles! Ils sont horribles!''

I ''Chouette! Allons-y!''

J ''Bravo! Merci, monsieur!''

C les questions

Écris l'expression correcte!

1. – _____ est Paul?
   – Dans le gymnase.

2. – _____ tu aimes la musique?
   – Bien sûr! J'adore ça!

3. – _____ il regarde?
   – Un match de hockey.

4. – _____ joue?
   – C'est les Leafs contre les Oilers.

5. – C'est _____, la party?
   – Samedi.

6. – _____ est la maison?
   – Elle est grande!

7. – _____ est-ce que tu es fâché?
   – Parce que j'ai un test!

8. – Tu as _____ de frères?
   – J'ai un frère.

quand
combien
où
qui
est-ce que
pourquoi
qu'est-ce qu'
comment

D je sais les verbes!

Écris la forme correcte du verbe!

1. (avoir) Est-ce que vous _____ des cassettes?

2. (être) Nous _____ très contents.

3. (parler) Qui _____ français?

4. (porter) Je _____ souvent un chapeau.

5. (regarder) Elle ne _____ pas les nouvelles.

6. (habiter) Ils _____ à côté de moi.

7. (aimer) Est-ce que tu _____ les sports?

8. (écouter) Nous _____ souvent *Les Maniaques*.

9. (jouer) Vous _____ au football?

10. (gagner) Si elles _____, il y a une party!

Nom: _____

E mais non!

Réponds à la négative!

1. Est-ce que tu joues au golf?

   Non, je _____

2. Il est d'ici?

   Non, il _____

3. Vous regardez les nouvelles?

   Non, nous _____

4. Ils aiment les films?

   Non, ils _____

5. Est-ce qu'elle parle français?

   Non, elle _____

6. Est-ce qu'il y a un match demain?

   Non, il _____

F les adjectifs

Quelle est la forme correcte de l'adjectif?

formidable, blanc, grand, horrible, bleu

1. Je n'aime pas *Les Turbos*! Ils sont _____

2. Monique a les yeux _____

3. Tu marques souvent trente points! C'est _____

4. M. Levieux a les cheveux _____

5. La maison de Paul est _____

UNITÉ 4

j'écoute!

A   j'écoute bien! ●●

	1	2	3	4	5	6
du	☐	☐	☐	☐	☐	☐
de	✓	☐	☐	☐	☐	☐

B   choisis bien! ●●

	1	2	3	4	5	6	7	8
du	☐	☐	☐	☐	☐	☐	☐	☐
de la	☐	☐	☐	☐	☐	☐	☐	☐
de l'	☐	☐	☐	☐	☐	☐	☐	☐
des	✓	☐	☐	☐	☐	☐	☐	☐

C   *singulier* ou *pluriel*? ●●

	1	2	3	4	5	6
singulier	✓	☐	☐	☐	☐	☐
pluriel	☐	☐	☐	☐	☐	☐

D   quelle heure est-il? ●●

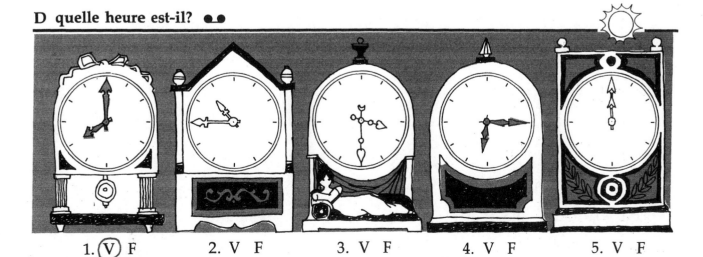

1. ⓥ F   2. V F   3. V F   4. V F   5. V F

E les trains arrivent! ●●

1. Guelph	_3_ h _30_	5. Vancouver	____ h ____
2. North Bay	____ h ____	6. Windsor	____ h ____
3. Fredericton	____ h ____	7. Kitchener	____ h ____
4. Calgary	____ h ____	8. Sault-Ste-Marie	____ h ____

F le match de hockey ●●

1. Paul Martin: _8_ minutes _36_ secondes

2. Pierre Giroux: ____ minutes ____ secondes

3. Louis Gagnon: ____ minutes ____ secondes

4. Richard Simard: ____ minutes ____ secondes

5. Guy Cloutier: ____ minutes ____ secondes

G la dictée ●●

RICHARD – _____ heure _____ -il?

CHANTAL – _____ est sept _____ et demie.

RICHARD – Est-ce que tu _____ des _____ ?

CHANTAL – Non, il ____ a un _____ à la télé. C'est une _____ .

RICHARD – Formidable! J'_____ dans cinq minutes!

CHANTAL – D'accord!

je prononce bien!

A les consonnes ●●

	1	2	3	4	5	6	7	8
dans	☐	☐	☐	☐	☐	☐	☐	☐
tu	☑	☐	☐	☐	☐	☐	☐	☐

B l'élision ●●

J'ai quatorze ans.
L'équipe de l'école joue au soccer.
Qu'est-ce qu'il y a dans l'appartement?

1. J'adore l'appartement!
2. Je n'aime pas l'anglais.
3. Qu'est-ce que c'est?
4. J'habite à côté de l'école.
5. C'est l'auto d'un professeur.
6. D'habitude, l'équipe joue lundi soir.

C le son "i" ●●

	1	2	3	4	5	6	7	8
oui	☑	☐	☐	☐	☐	☐	☐	☐
non	☐	☐	☐	☐	☐	☐	☐	☐

D écoute bien! ●●

	1	2	3	4	5	6	7	8	9	10
oui	☐	☐	☐	☐	☐	☐	☐	☐	☐	☐
non	☑	☐	☐	☐	☐	☐	☐	☐	☐	☐

E la liaison ●●

	1	2	3	4	5	6	7	8	9	10
oui	☐	☐	☐	☐	☐	☐	☐	☐	☐	☐
non	☑	☐	☐	☐	☐	☐	☐	☐	☐	☐

j'écris!

A les descriptions

Complète les phrases et identifie la photo!

A C'est *le professeur* *de la* classe de français.

B C'est _____ _____ _____ professeur.

C C'est _____ _____ _____ école.

D C'est _____ _____ _____ Gagnon.

E C'est _____ _____ _____ garçon.

F C'est _____ _____ _____ filles.

G C'est _____ _____ _____ directrice.

H C'est _____ _____ _____ Richard.

B où est Marc?

Écris des phrases avec **dans**, **devant**, **derrière**, **chez**, **à côté de**, **près de**!

1. *Il est près de l'école.* _____

2. _____

3. _____

4. _____

5. _____

6. _____

C quelle heure est-il?

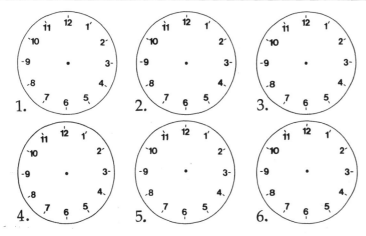

1. Il est deux heures vingt.

2. Il est cinq heures et quart.

3. Il est sept heures et demie.

4. Il est neuf heures moins le quart.

5. Il est une heure dix.

6. Il est minuit.

D mais quand?

Complète les phrases avec l'heure!

1. J'arrive à l'école à _____

2. Je suis à l'école de _____

   à _____

3. J'ai une classe de français à _____

4. Après les classes, j'arrive chez moi à _____

5. Je regarde la télé de _____

   à _____

E les questions

Choisis une expression interrogative pour compléter chaque phrase!

qui, où, quand, comment, est-ce que, combien, pourquoi, qu'est-ce que

1. – _Où_ est le gymnase?
   – À côté de la cafétéria.

2. – _____ tu regardes?
   – Un match de baseball.

3. – _____ de bureaux est-ce qu'il y a?
   – Il y a deux bureaux.

4. – _____ tu aimes les tests?
   – Tu parles!

5. – _____ est-ce que le train arrive?
   – À huit heures et demie.

6. – _____ est-il?
   – Il est grand et fort.

7. – _____ est dans la salle de bains?
   – C'est papa.

8. – _____ est-ce que Louis n'est pas ici?
   – Parce qu'il est malade.

F ton école

Réponds aux questions suivantes!

1. Comment s'appelle l'école?

   _____

2. Où est l'école?

   _____

3. Comment est l'école?

   _____

4. Combien d'élèves est-ce qu'il y a dans la classe de français?

   _____

5. À quelle heure est la récréation?

   _____

bon voyage!

A mots croisés: les prépositions

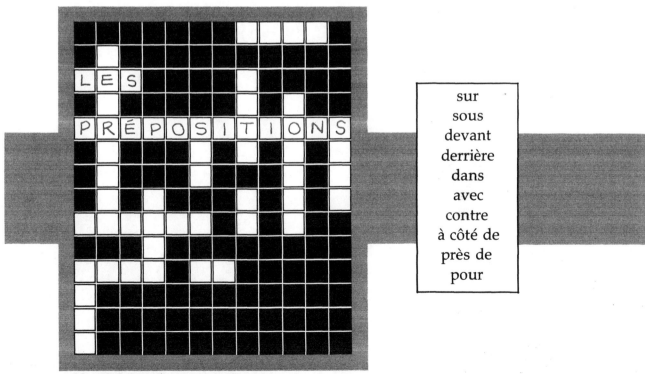

| sur |
| sous |
| devant |
| derrière |
| dans |
| avec |
| contre |
| à côté de |
| près de |
| pour |

B l'heure au Canada

Pose des questions à un(e) partenaire!

**Modèle: Il est dix heures et demie à Montréal.
Alors, quelle heure est-il à Calgary?**

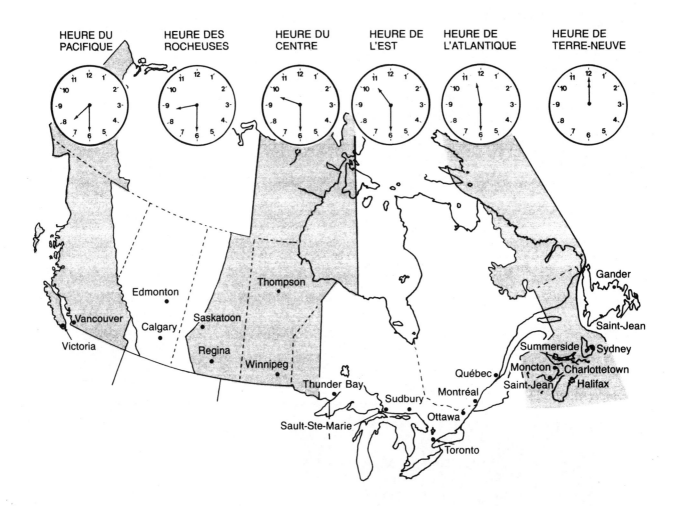

C le détective

Décode le message!

When and where will Victor the thief strike next?

A = 1
B = 2
↓
Z = 26

13	5	18	3	18	5	4	9	19	15	9	18
□	□	□	□	□	□	□	□	□	□	□	□

13	9	14	21	9	20	2	1	14	17	21	5
□	□	□	□	□	□	□	□	□	□	□	□

14	1	20	9	15	14	1	12	5	1	3	15	20	5
□	□	□	□	□	□	□	□	□	□	□	□	□	□

4	21	3	9	14	5	13	1	2	9	10	15	21
□	□	□	□	□	□	□	□	□	□	□	□	□

3	9	14	17	21	1	14	20	5	18	21	5
□	□	□	□	□	□	□	□	□	□	□	□

1	18	7	5	14	20
□	□	□	□	□	□

22	9	3	20	15	18
□	□	□	□	□	□

D en français: la soirée des parents!

Your job on Parents' Night is to stand at the front door of the school as parents are arriving. How would you . . .

1. *welcome them to the school?*
2. *tell them who you are?*
3. *say that the principal's office is near the gym?*
4. *tell them that the library is next to the cafeteria?*
5. *say that the staff room is near the offices?*
6. *tell them that the teachers are in the classrooms?*

UNITÉ 5

j'écoute!

A choisis bien! ●●

	1	2	3	4	5	6	7	8	9	10
masculin (mon, ton, son)	✓	☐	☐	☐	☐	☐	☐	☐	☐	☐
féminin (ma, ta, sa)	☐	☐	☐	☐	☐	☐	☐	☐	☐	☐
pluriel (mes, tes, ses)	☐	☐	☐	☐	☐	☐	☐	☐	☐	☐

B bonne fête! ●●

Roger ☐B

Lise ☐

Henri ☐

Chantal et Louise ☐

les parents ☐

A B C D E

C les collections ●●

Marc ☐

Pierre ☐

Anne ☐

Annette ☐

Caroline ☐

1. 2. 3. 4. 5.

Nom: _____

D *garçon* ou *fille*? ●●

	1	2	3	4	5	6	7	8
un ami	☑	☐	☐	☐	☐	☐	☐	☐
une amie	☐	☐	☐	☐	☐	☐	☐	☐

E au téléphone ●●

CHANTAL – Allô!

ROGER – Allô, Chantal. _____ Roger. Est-ce que _____ frère est là?

CHANTAL – Non, il est _____ les Duval. Il écoute des _____

avec Pierre.

ROGER – Et _____ soeur Louise? Elle est là?

CHANTAL – Non, elle est avec _____ parents. Ils visitent des _____:

ROGER – Et toi, tu _____ chez toi. Pourquoi?

CHANTAL – Moi, je range _____ chambre.

ROGER – C'est _____! Au revoir, Chantal!

CHANTAL – Au revoir, Roger!

je prononce bien!

A choisis bien! ●●

	1	2	3	4	5	6	7	8
oui	☑	☐	☐	☐	☐	☐	☐	☐
non	☐	☐	☐	☐	☐	☐	☐	☐

B *oui* ou *non*? ●●

	1	2	3	4	5	6	7	8
oui	☑	☐	☐	☐	☐	☐	☐	☐
non	☐	☐	☐	☐	☐	☐	☐	☐

C prononce bien! ●●

	1	2	3	4	5	6	7	8
garçon	☐	☐	☐	☐	☐	☐	☐	☐
gymnase	✓	☐	☐	☐	☐	☐	☐	☐

D la lettre ''g'' ●●

1. gymnase, garder
2. rouge, gomme
3. fatigué, ranger
4. neige, gris
5. guitare, message
6. garçon, girafe

E les voyelles ●●

1. chez: été, premier, très, et
2. mais: télé, vert, plaît, règle
3. demain: devant, Denise, le, derrière
4. madame: maison, table, là, ami
5. gris: petit, ski, très, stylo
6. école: allô, gomme, octobre, comme

j'écris!

A c'est à moi!

mon, ma ou **mes**?

1. un poster   *C'est mon poster.*

2. des parents

3. une chambre

4. une amie

ton, ta ou **tes**?

5. une collection   *C'est ta collection.*

6. des disques

7. un stéréo

8. une école

son, sa ou **ses**?

9. des cassettes   *C'est ses cassettes.*

10. une soeur

11. un appartement

12. une équipe

Nom: _____

B la possession

1. J'_ai_ une bicyclette. _C'est ma bicyclette._

2. Tu _as_ un poster. _C'est ton poster._

3. Papa _a_ des disques. _C'est ses disques._

4. Monique _____ des timbres. _____

5. J'_____ une amie. _____

6. Tu _____ un magnétophone. _____

7. M. Duval _____ une auto. _____

8. Maman _____ des magazines. _____

9. Tu _____ une radio. _____

10. J'_____ un frère. _____

11. La directrice _____ un bureau. _____

12. J'_____ des insectes! _____

C moi aussi!

1. Louise range sa chambre. Je range _ma chambre_ _____ aussi.

2. Paul parle avec sa mère. Tu parles _avec ta mère_ _____ aussi.

3. J'aime mes parents. Paul aime _ses parents_ _____ aussi.

4. Tu aimes tes amis. J'aime _____ aussi.

5. Anne invite sa soeur. J'invite _____ aussi.

6. Je parle avec mon ami. Michel parle _____ aussi.

7. Roger écoute ses disques. Tu écoutes _____ aussi.

8. Tu joues avec tes frères. Marie joue _____ aussi.

9. J'arrive avec mon père. Tu arrives _____ aussi.

10. Je regarde ma collection de posters.

   Claire regarde _____ aussi.

Nom: _____

D *oui* ou *non*?

1. Est-ce que tu aimes ta chambre?

   Oui, j'aime ma chambre.

   Non, je n'aime pas ma chambre.

2. Tu visites tes amis?

   Oui, _____

   Non, _____

3. Est-ce que tu ranges ta chambre?

   Oui, _____

   Non, _____

4. Tu parles avec tes amis?

   Oui, _____

   Non, _____

5. Est-ce que tu écoutes tes professeurs?

   Oui, _____

   Non, _____

6. Tu invites tes amis chez toi?

   Oui, _____

   Non, _____

Nom: _____

E choisis bien!

Choisis le bon verbe et écris la forme correcte!

> porter, regarder, écouter, jouer, parler, arriver,
> collectionner, inviter, ranger, habiter

1. Paul _____*invite*_____ son ami Roger chez lui.

2. Nous _____ une comédie à la télé.

3. Je ne _____ pas au football.

4. Mes frères _____ les autographes.

5. Qui _____ français?

6. Vous _____ dans un appartement?

7. Est-ce que tu _____ ta chambre?

8. Ils _____ souvent des jeans?

9. Est-ce qu'elle _____ à huit heures?

10. Anne et Louise n'_____ pas la radio.

bon voyage!

A la chambre de Jacqueline

1. une commode

2. un bureau

3. une étagère

4. une lampe

5. un mur

6. un lit

7. un tapis

Sur une feuille de papier,
dessine ta chambre!
Identifie les objets!

B la famille

LES GRANDS-PARENTS

le grand-père la grand-mère

la grand-mère le grand-père

l'oncle   la tante

LES PARENTS

la mère   le père

la tante   l'oncle

LES ENFANTS
le fils   la fille

1. La mère de mon frère est ma _____.

2. Le père de ma mère est mon _____.

3. La mère de mon père est ma _____.

4. Le frère de mon père est mon _____.

5. La soeur de ma mère est ma _____.

6. La fille de ma mère est ma _____.

7. Le fils de mon grand-père est mon _____.

8. Le fils de mon père est mon _____.

Nom: _____

C les anagrammes: les collections

1. sorpest ☐ ☐ ☐ ☐ ☐ ☐ ☐
   ₁

2. tessecats ☐ ☐ ☐ ☐ ☐ ☐ ☐ ☐
   ₂

3. sparetoghua ☐ ☐ ☐ ☐ ☐ ☐ ☐ ☐ ☐ ☐ ☐
   ₃

4. squidse ☐ ☐ ☐ ☐ ☐ ☐ ☐
   ₄

5. tenocloicl ☐ ☐ ☐ ☐ ☐ ☐ ☐ ☐ ☐
   ₅ ₆ ₇

6. sicsteen ☐ ☐ ☐ ☐ ☐ ☐ ☐ ☐
   ₈

7. stirbme ☐ ☐ ☐ ☐ ☐ ☐ ☐
   ₉

Question: Qu'est-ce que Robert collectionne?

Réponse: Il collectionne les ☐ ☐ ☐ ☐ ☐ ☐ ☐ ☐ ☐ !
                              1 2 3 4 5 6 7 8 9

D en français: la visite!

You invite a French friend to your house. How would you . . .

1. *welcome your friend to your home?*
2. *say that this is your room?*
3. *ask if your friend likes your room?*
4. *say that your record player is broken?*
5. *say that you have a radio?*
6. *say that you collect comic books?*
7. *ask if your friend collects something?*
8. *introduce your friend to your parents?*

UNITÉ 6

j'écoute!

A choisis bien! ●●

	1	2	3	4	5	6	7	8
singulier	✓	☐	☐	☐	☐	☐	☐	☐
pluriel	☐	☐	☐	☐	☐	☐	☐	☐

B les effets sonores ●●

☐ un train   ☐ une bicyclette

☐ un autobus   ☐ un avion

☐ une party   ☐ une guitare

☐ une motoneige   ☐ une voiture de sport

C les Mercier et les Leclair ●●

	les Mercier	les Leclair
le stéréo	✓	☐
les disques	☐	☐
la radio	☐	☐
les bicyclettes	☐	☐
la guitare	☐	☐
le magnétophone	☐	☐
les chaises	☐	☐
les livres	☐	☐
les cassettes	☐	☐
la moto	☐	☐

Nom: _____

D j'aime ça! ●●

	1	2	3	4	5	6	7	8
masculin (favori)	☐	☐	☐	☐	☐	☐	☐	☐
féminin (favorite)	☑	☐	☐	☐	☐	☐	☐	☐

E le test de français ●●

Luc Savard ___69___ %   Margot Vachon _____ %

Chantal Duval _____ %   Roger Leclair _____ %

Richard Martin _____ %   Monique Ledoux _____ %

Louise Cormier _____ %   Alain Benoît _____ %

Henri Dubé _____ %   Marc Lalonde _____ %

Paul Dubois _____ %   Lise Dupont _____ %

F l'équipe de basket-ball ●●

Denis ___145___ cm   Paul _____ cm

Éric _____ cm   Alain _____ cm

Laurent _____ cm   Roger _____ cm

Henri _____ cm   Jean-Paul _____ cm

Robert _____ cm   Marc _____ cm

G l'exposition de voitures ●●

PIERRE – _____, Louise! Voilà une _____

_____ _____ magnifique!

LOUISE – Mais qu'est-ce que _____?

PIERRE – C'est _____ Corvette.

LOUISE – Ça coûte _____?

PIERRE – Oui, mais elle est très _____!

LOUISE – Et elle est rouge _____. C'est ma couleur

_____!

je prononce bien!

A choisis bien! ●●

	1	2	3	4	5	6	7	8
oui	✓	☐	☐	☐	☐	☐	☐	☐
non	☐	☐	☐	☐	☐	☐	☐	☐

B les rimes ●●

	1	2	3	4	5	6	7	8
Ça rime.	☐	☐	☐	☐	☐	☐	☐	☐
Ça ne rime pas.	✓	☐	☐	☐	☐	☐	☐	☐

C la lettre "h" ●●

1. heure
2. horrible
3. Henri
4. hockey
5. huit
6. Hélène
7. Henri joue au hockey avec Hugo.
8. Hélène habite à Halifax.

D la ponctuation ●●

1. Marie, André, Louise et Pierre regardent la télé.
2. Est-ce qu'il y a un film à la télé
3. Regarde Voilà une moto sensass
4. Tu aimes les motos les cyclomoteurs et les voitures de sport
5. Vous êtes d'ici Non Alors bienvenue

j'écris!

A c'est ça!

1. *Mon* père et *ma* mère sont *mes* parents.

2. _____ père et ta mère sont _____ parents.

3. Son père et _____ mère sont _____ parents.

4. _____ père et notre mère sont _____ parents.

5. _____ père et _____ mère sont vos parents.

6. Leur père et _____ mère sont _____ parents.

B c'est une conjugaison!

Complète avec la forme correcte de **parler** et de l'adjectif possessif!

1. Je _parle_ avec _mon_ ami.

2. Tu _____ avec _____ ami.

3. Il _____ avec _____ ami.

4. Elle _____ avec _____ ami.

5. Nous _____ avec _____ ami.

6. Vous _____ avec _____ ami.

7. Ils _____ avec _____ ami.

8. Elles _____ avec _____ ami.

C c'est logique!

1. Nous avons une maison confortable.

   Notre maison est confortable.

2. Vous avez un frère pénible.

   Votre frère est pénible.

3. Ils ont une voiture rapide.

   Leur voiture est rapide.

4. Vous avez un professeur sympa.

   _____

5. Nous avons une camionnette sensass!

   _____

6. Ils ont des disques horribles!

   _____

7. Vous avez un test facile.

   _____

8. Ils ont des enfants contents.

   _____

9. Vous avez des parents formidables!

   _____

10. Nous avons des cyclomoteurs économes.

    _____

Nom: _____

D questions personnelles

Réponds aux questions!

1. Quel âge as-tu?

   _____

2. Combien est-ce que tu mesures?

   _____

3. Comment es-tu? (deux choses)

   _____

4. Qu'est-ce que tu aimes mieux, les motos ou les bicyclettes?

   _____

5. Quelle est ta voiture favorite?

   _____

bon voyage!

A une voiture

Sur une feuille de papier, dessine une voiture et invente un nom pour ta voiture! Identifie les parties de la voiture!

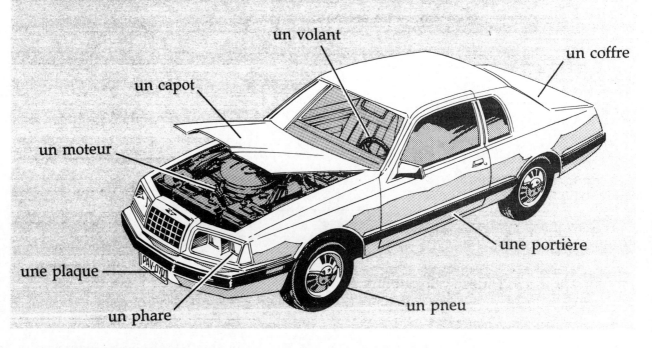

B c'est différent!

Fais une liste des différences!

A *une maison* _____

B *une école* _____

_____

_____

_____

_____

_____

_____

_____

_____

_____

_____

_____

_____

_____

_____

_____

_____

_____

_____

C mots croisés: les véhicules

verticalement

horizontalement

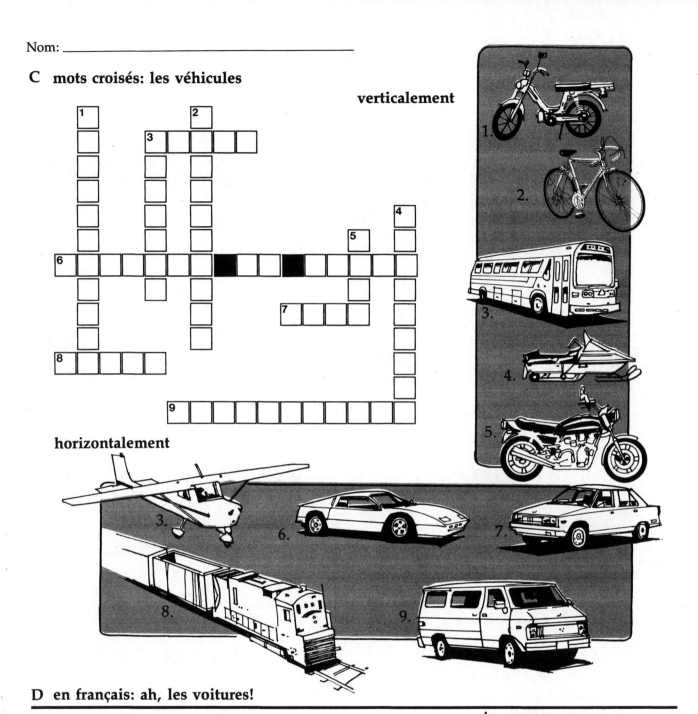

D en français: ah, les voitures!

You are at a car show and you are asking a salesman about a particular car. How would you . . .

1. *say that you like the car?*
2. *ask what it is?*
3. *ask if it is expensive?*
4. *ask if it is an economical car?*
5. *say that you like the colour?*
6. *describe your parents' car?*

QUE SAIS-JE?

j'écoute!

A les conversations ●●

	1	2	3	4	5	6
une exposition de voitures	☐	☐	☐	☐	☐	☐
une école	☐	☐	☐	☐	☐	☐
une maison	☐	☐	☐	☐	☐	☐

B *singulier* ou *pluriel*? ●●

	1	2	3	4	5	6	7	8
singulier	☐	☐	☐	☐	☐	☐	☐	☐
pluriel	☐	☐	☐	☐	☐	☐	☐	☐

C choisis bien! ●●

	1	2	3	4	5	6	7	8
du	☐	☐	☐	☐	☐	☐	☐	☐
de la	☐	☐	☐	☐	☐	☐	☐	☐
de l'	☐	☐	☐	☐	☐	☐	☐	☐
des	☐	☐	☐	☐	☐	☐	☐	☐

D les adresses ●●

1. Lise Cormier, _____, rue Talon

2. Robert Duval, _____, avenue Mercier

3. Chantal Dubé, _____, boulevard Napoléon

4. Henri Leclair, _____, rue Balzac

5. Monique Vachon, _____, avenue Laurier

6. Luc Lebrun, _____, boulevard Victor

E la journée de Maurice ●●

1. _____ h _____   4. _____ h _____

2. _____ h _____   5. _____ h _____

3. _____ h _____

F une party chez Caroline ●●

☐ 1. C'est quand, la party de Caroline?
   A Demain, après le match.
   B Demain, après le dîner.
   C Aujourd'hui, après les classes.

☐ 2. À quelle heure est-ce que ses amis arrivent?
   A À huit heures.
   B À sept heures.
   C À neuf heures.

☐ 3. Caroline a un problème. Qu'est-ce que c'est?
   A Son tourne-disque est formidable.
   B Son tourne-disque est sensass.
   C Son tourne-disque est cassé.

☐ 4. Caroline invite son frère à la party. Pourquoi?
   A Il est pénible.
   B Il a un stéréo formidable.
   C Il a un magnétophone.

je prononce bien!

A *oui* ou *non*? ●●

	1	2	3	4	5	6	7	8
oui	☐	☐	☐	☐	☐	☐	☐	☐
non	☐	☐	☐	☐	☐	☐	☐	☐

B choisis bien! ●●

	1	2	3	4	5	6	7	8
allô	☐	☐	☐	☐	☐	☐	☐	☐
robe	☐	☐	☐	☐	☐	☐	☐	☐

C ça rime! ●●

	1	2	3	4	5	6	7	8
oui	☐	☐	☐	☐	☐	☐	☐	☐
non	☐	☐	☐	☐	☐	☐	☐	☐

D la ponctuation est importante! ●●

1. Le directeur est dans son bureau
2. Monique porte une blouse bleue une jupe rouge
   un chapeau blanc et des souliers noirs
3. Regarde Voilà une voiture de sport formidable
4. Est-ce que tu aimes les sports

j'écris!

A choisis bien!

☐ 1. Le pluriel de l'expression **notre cassette**, c'est . . .
   A leurs cassettes   **B** vos cassettes   **C** nos cassettes

☐ 2. Devant le nom **auto**, la forme correcte de l'adjectif possessif **mon**, c'est . . .
   A mon   **B** ma   **C** mes

☐ 3. Une réponse correcte à la question **C'est la moto de Paul?** c'est . . .
   A Oui, c'est leur moto.   **B** Oui, c'est sa moto.   **C** Oui, c'est ta moto.

☐ 4. La préposition **de** + l'article défini **les** = . . .
   A du   **B** des   **C** de l'

☐ 5. La forme féminine d'**un sous-directeur**, c'est . . .
   A un directeur   **B** une directrice   **C** une sous-directrice

☐ 6. Au pluriel, le nom **un bureau** a . . .
   A la lettre ''x''   **B** la lettre ''s''   **C** la lettre ''e''

☐ 7. La réponse à la question **Quelle heure est-il?** c'est . . .
   A 165 cm.   **B** Quatre-vingts.   **C** Sept heures et demie.

☐ 8. Une Corvette, c'est . . .
   A une motoneige   **B** une voiture de sport   **C** un camion

☐ 9. Le pluriel de **tu arrives**, c'est . . .
   A vous arrivez   **B** nous arrivons   **C** ils arrivent

B situations / réactions

Choisis une réaction pour chaque situation!

☐ 1. "Zut! Ton tourne-disque est cassé!"

☐ 2. "Ta collection de posters est formidable!"

☐ 3. "Ce n'est pas une chambre; c'est un désastre!"

☐ 4. "Est-ce que tu aimes les voitures de sport?"

☐ 5. "Les Dubé ont une voiture rouge, une moto rouge et une camionnette rouge?"

☐ 6. "Voilà la directrice!"

☐ 7. "La Corvette de monsieur Nadeau est magnifique!"

☐ 8. "Tu collectionnes les insectes?"

☐ 9. "C'est quand, le match?"

☐ 10. "Est-ce que tu invites Anne à ta party?"

A "C'est ça! C'est leur couleur favorite!"
B "Mais j'aime ma chambre comme ça!"
C "Bonsoir, madame!"
D "Mais ça coûte très cher!"
E "Pas de problème! J'ai un magnétophone!"
F "Tu parles! Ils sont horribles!"
G "Ah, oui! Elles sont si rapides!"
H "Merci, mais j'aime mieux ma collection de magazines."
I "Bien sûr! Elle est mon amie!"
J "À quatre heures et demie."

C la préposition *de*

Est-ce que c'est **de**, **d'**, **du**, **de la**, **de l'** ou **des**?

1. L'autobus est près _____ école.

2. Où est la salle _____ professeurs?

3. Voilà le bureau _____ directeur.

4. Les parents _____ Alain visitent l'école.

5. Qui a les cassettes _____ madame Levert?

6. Le gymnase est à côté _____ bibliothèque.

Nom: _____

D les adjectifs possessifs

Complète chaque phrase avec l'adjectif correct!

1. (mon, ma, mes) _____ bicyclette est cassée!

2. (ton, ta, tes) _____ cyclomoteur est formidable!

3. (son, sa, ses) Elle visite _____ amis.

4. (notre, nos) Nous aimons beaucoup _____ maison.

5. (votre, vos) De quelle couleur est _____ auto?

6. (leur, leurs) _____ enfants arrivent demain.

E je sais mes verbes!

Écris la forme correcte du verbe!

1. (aimer mieux) Qu'est-ce que vous _____, le soccer ou le hockey?

2. (arriver) Les Cormier _____ après le dîner.

3. (visiter) Pauline _____ Marie-Claire.

4. (collectionner) Je ne _____ pas les bandes dessinées.

5. (inviter) Pourquoi est-ce que tu _____ Marc?

6. (montrer) Nous _____ notre maison à nos amis.

F quelle heure est-il?

Écris l'heure en chiffres!

1. Il est deux heures vingt-cinq.   _____ h _____

2. Il est quatre heures moins le quart. _____ h _____

3. Il est midi et demi.   _____ h _____

4. Il est onze heures et quart.   _____ h _____

5. Il est minuit moins cinq.   _____ h _____

G les nombres!

Écris les nombres en chiffres!

1. soixante et onze _____

2. soixante-dix-neuf _____

3. quatre-vingt-deux _____

4. quatre-vingt-quinze _____

5. cent deux _____

H c'est mon adjectif favori!

Écris la forme correcte de l'adjectif **favori**!

1. J'adore les autos rouges! C'est ma couleur _____.

2. Voilà ses disques _____.

3. Leur équipe de baseball _____, c'est les Expos.

4. C'est son magazine _____.

5. Il montre ses cartes de hockey _____ à son frère.

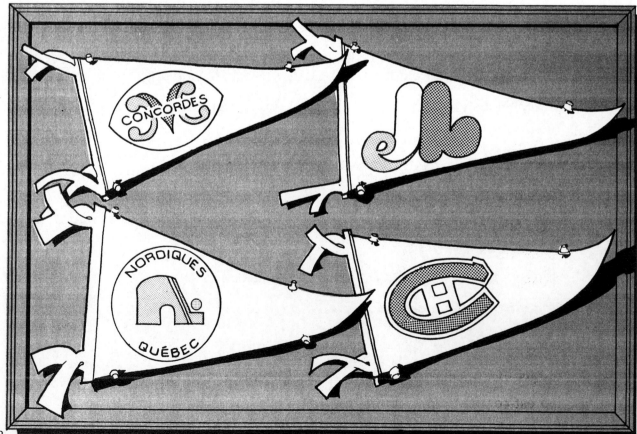

78

UNITÉ 7

j'écoute!

A singulier ou pluriel? ●●

	1	2	3	4	5	6	7	8
singulier	✓	☐	☐	☐	☐	☐	☐	☐
pluriel	☐	☐	☐	☐	☐	☐	☐	☐

B quel verbe? ●●

	1	2	3	4	5	6	7	8
ont	☐	☐	☐	☐	☐	☐	☐	☐
sont	✓	☐	☐	☐	☐	☐	☐	☐
font	☐	☐	☐	☐	☐	☐	☐	☐

C les questions ●●

	1	2	3	4	5	6	7	8
oui	☐	☐	☐	☐	☐	☐	☐	☐
non	✓	☐	☐	☐	☐	☐	☐	☐

D choisis bien! ●●

1. Qu'est-ce que tu (étudiez, <u>étudies</u>)?

2. Je (faites, fais) mes devoirs après les classes.

3. Les élèves (étudions, étudient) pour le test.

4. Nous (faisons, font) une pizza.

5. Combien (fait, font) trente et quarante?

6. Mes amis (arrivent, arrivons) après le dîner.

7. Est-ce que tu (téléphonez, téléphones) à Monique?

8. Quand est-ce que vous (rentrez, rentrent)?

Nom: _____

E les matières ●●

1. Alain   H
2. Micheline   ☐
3. Chantal   ☐
4. Jean-Pierre   ☐
5. Marc   ☐
6. Roger   ☐
7. Gisèle   ☐
8. Colette   ☐
9. André   ☐
10. Alice   ☐

A   F

B   G

C   H

D   I

E   J

F les conversations téléphoniques ●●

	est là	n'est pas là
1. Maurice	✓	☐
2. Chantal	☐	☐
3. M. Dupont	☐	☐
4. Mlle Leclair	☐	☐
5. la mère	☐	☐
6. Paul	☐	☐

G au téléphone ●●

CHANTAL – Allô!

PAUL – Salut, Chantal! C'est Paul. Est-ce que Janine est _____?

CHANTAL – Je _____, mais elle n'est pas ici.

PAUL – Où est-ce qu'elle est?

CHANTAL – Elle est _____ Luc.

PAUL – Qu'est-ce qu'ils _____?

CHANTAL – Ils écoutent des disques et ils _____ pour leur test de

français.

PAUL – Quand est-ce qu'elle _____?

CHANTAL – _____ six heures. Est-ce qu'il y a un _____?

PAUL – Non. _____ beaucoup!

CHANTAL – _____ _____. Au revoir, Paul!

je prononce bien!

A *oui* ou *non*? ●●

	1	2	3	4	5	6	7	8
oui	✓	☐	☐	☐	☐	☐	☐	☐
non	☐	☐	☐	☐	☐	☐	☐	☐

B choisis bien! ●●

	1	2	3	4	5	6	7	8
sur	✓	☐	☐	☐	☐	☐	☐	☐
sous	☐	☐	☐	☐	☐	☐	☐	☐

C les consonnes finales ●●

1. (verte)   3. brune   5. grise   7. petit

2. content   4. favorite   6. grande   8. vert

D les voyelles ●●

1. m<u>a</u>dame: m<u>a</u>ths, tr<u>è</u>s, ami
2. j<u>e</u>: d<u>e</u>main, m<u>e</u>ssage, devoirs
3. v<u>e</u>rs: mais, apr<u>è</u>s, chez
4. t<u>é</u>lé: dîner, c'est, aimer
5. m<u>i</u>di: souris, soir, petit

6. b<u>eau</u>: porte, radio, bravo
7. r<u>o</u>be: occupé, favori, stéréo
8. s<u>ou</u>s: écoute, couleur, aussi
9. t<u>u</u>: vous, rue, une

E je prononce bien! ●●

	1	2	3	4	5	6	7	8
oui	✓	☐	☐	☐	☐	☐	☐	☐
non	☐	☐	☐	☐	☐	☐	☐	☐

j'écris!

A c'est le verbe *faire*!

Écris la forme correcte du verbe **faire**!

1. Qu'est-ce que tu _____*fais*_____ après les classes?

2. Nous ne _____ pas nos devoirs dans la bibliothèque.

3. Qu'est-ce qu'il _____ dans le gymnase?

4. Est-ce que vous _____ souvent une pizza?

5. Je _____ mes devoirs dans ma chambre. Où est-ce que tu _____ tes devoirs?

6. Combien _____ cinquante et cinq?

7. Qu'est-ce qu'elle _____ demain?

8. Claire et Henri _____ leurs devoirs.

9. Robert _____ ses devoirs devant la télé?

10. Il _____ très beau aujourd'hui!

B   voilà le système!

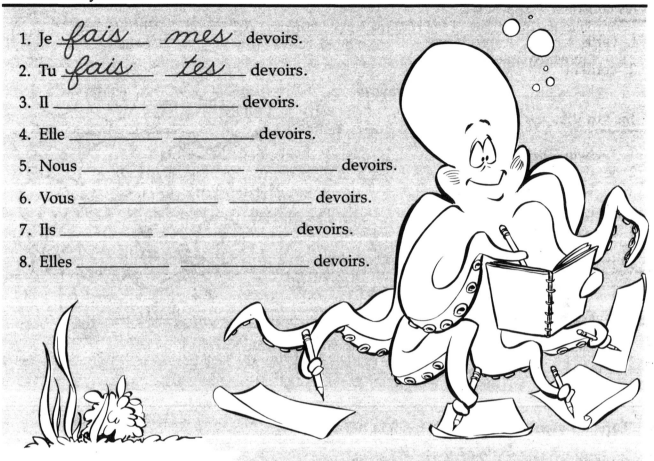

1. Je *fais* *mes* devoirs.
2. Tu *fais* *tes* devoirs.
3. Il _____ _____ devoirs.
4. Elle _____ _____ devoirs.
5. Nous _____ _____ devoirs.
6. Vous _____ _____ devoirs.
7. Ils _____ _____ devoirs.
8. Elles _____ _____ devoirs.

C   la conversation: *être, avoir* ou *faire*?

Choisis le bon verbe et écris **est**, **a** ou **fait**!

LUC – Allô, Marie! Est-ce que Richard _*est*_ là?

MARIE – Non, il n'_____ pas ici. Il _____ dans la bibliothèque.

LUC – Qu'est-ce qu'il _____ là?

MARIE – Il étudie. Il _____ un test de géographie demain.

LUC – Alors, qu'est-ce qu'il _____ ce soir?

MARIE – Il _____ des billets pour le concert de rock.

LUC – Pour le concert de Rocky Roland?

MARIE – C'_____ ça!

LUC – Merci, Marie! Au revoir!

MARIE – De rien. Au revoir!

Nom: _____

D questions et réponses

Complète les questions et les réponses avec la forme correcte du verbe **étudier**!

1. – Qu'est-ce que tu _____?

   – J'_____ mon français.

2. – Est-ce que Margot _____ aussi?

   – Non, elle n'_____ pas!

3. – Quand est-ce que tu _____ avec tes amis?

   – Nous _____ après les classes.

4. – Où est-ce que vous _____?

   – Nous _____ chez Claire.

5. – Avec qui est-ce que Lise et Guy _____ le français?

   – Ils _____ le français avec Mlle Laval.

E ah, les verbes!

Écris les verbes à l'affirmative et à la négative!

1. (rentrer) Je *rentre* à midi.

   Je *ne rentre pas* à midi.

2. (étudier) Il _____ pour le test.

   Il _____ pour le test.

3. (téléphoner) Tu _____ à Georges?

   Tu _____ à Georges?

4. (visiter) Ils _____ l'école.

   Ils _____ l'école.

5. (ranger) Elle _____ sa chambre.

   Elle _____ sa chambre.

6. (arriver) Nous _____ après le dîner.

   Nous _____ après le dîner.

7. (écouter) Vous _____ les professeurs?

   Vous _____ les professeurs?

F l'interview

Les réponses sont données! Pose les questions!

qu'est-ce que	à quelle **heure**	qui	qu'est-ce que
où	est-ce que	pourquoi	comment

1. – _____
   – Je m'appelle Serge Dubois.

2. – _____
   – Oui, j'étudie le français.

3. – _____
   – Le professeur est M. Martin.

4. – _____
   – Je rentre à quatre heures.

5. – _____
   – Après les classes, je regarde la télé.

6. – _____
   – Je regarde la télé dans le salon.

7. – _____
   – D'habitude, je regarde une comédie.

8. – _____
   – Parce que j'adore les comédies!

G le bon ordre!

M. Dubois parle avec son fils André. Écris le dialogue dans le bon ordre!

M. DUBOIS – Et ton frère Roger?

ANDRÉ – Elle étudie ses maths.

M. DUBOIS – André! Qu'est-ce que tu fais?

ANDRÉ – Mais non, papa! Il parle au téléphone avec son amie!

M. DUBOIS – Et ta soeur Annette? Qu'est-ce qu'elle fait?

ANDRÉ – Il est dans sa chambre.

M. DUBOIS – Il fait ses devoirs aussi? Bravo!

ANDRÉ – Je fais mes devoirs!

M. DUBOIS – *André! Qu'est-ce que tu fais?*

ANDRÉ – _____

M. DUBOIS – _____

ANDRÉ – _____

M. DUBOIS – _____

ANDRÉ – _____

M. DUBOIS – _____

ANDRÉ – _____

Nom: _____

bon voyage!

A mots cachés: les verbes

Complète les phrases et trouve les formes des verbes!

1. Nous f ☐ ☐ ☐ ☐ ☐ ☐ nos devoirs.
2. J'é ☐ ☐ ☐ ☐ ☐ le français et l'anglais.
3. À qui est-ce que tu p ☐ ☐ ☐ ☐ ☐ au téléphone?
4. Vous é ☐ ☐ ☐ ☐ ☐ ☐ des disques?
5. Il i ☐ ☐ ☐ ☐ ☐ son amie à la party.
6. Ses parents v ☐ ☐ ☐ ☐ ☐ ☐ ☐ l'école.
7. Qui e ☐ ☐ -ce?
8. Elles h ☐ ☐ ☐ ☐ ☐ ☐ ☐ à Sherbrooke.
9. Tu a ☐ des frères et des soeurs?
10. Je r ☐ ☐ ☐ ☐ ☐ vers quatre heures.
11. Est-ce que tu t ☐ ☐ ☐ ☐ ☐ ☐ ☐ ☐ ☐ à Pierre?
12. Vous m ☐ ☐ ☐ ☐ ☐ ☐ souvent des buts?
13. Ils p ☐ ☐ ☐ ☐ ☐ ☐ des jeans.
14. Elle ne r ☐ ☐ ☐ ☐ pas sa chambre.

A	B	T	W	C	T	M	A	R	Q	U	E	Z	R	C	H	I	V	S
T	W	C	A	E	E	V	R	S	U	P	T	R	U	M	H	E	H	I
F	T	B	E	I	L	X	U	S	R	A	H	V	F	I	A	R	N	P
E	A	V	U	T	E	R	T	N	E	R	R	C	A	O	V	V	M	R
T	F	I	M	C	P	U	R	E	I	L	Q	W	G	H	I	T	R	A
C	A	S	S	B	H	B	S	W	D	E	C	O	U	T	E	Z	T	N
E	C	I	T	O	O	K	V	E	U	S	J	A	E	P	M	D	C	G
H	D	T	E	I	N	V	T	L	T	N	E	T	I	B	A	H	V	E
K	S	E	C	O	E	S	T	U	E	T	O	X	P	I	S	B	X	O
N	F	N	G	H	S	B	U	F	A	O	R	E	I	V	T	A	A	V
Q	R	T	H	D	A	N	M	I	B	A	E	T	N	E	T	R	O	P

Nom: _____

B mots croisés: les matières

C en français: au téléphone!

You answer the telephone. It's for your father, but he is not home.
How would you . . .

1. *say hello?*
2. *say that you're sorry, but that your father is not home?*
3. *say that your father is at a car show?*
4. *say that he's coming home about six o'clock?*
5. *ask if there is a message?*
6. *say thank you and goodbye?*

UNITÉ 8

j'écoute!

A choisis bien! ●●

	1	2	3	4	5	6	7	8
le, la	☐	☐	☐	☐	☐	☐	☐	☐
du, de la	✓	☐	☐	☐	☐	☐	☐	☐

B écoute bien! ●●

	1	2	3	4	5	6	7	8
du	☐	☐	☐	☐	☐	☐	☐	☐
de la	✓	☐	☐	☐	☐	☐	☐	☐

C *voilà* ou *il y a*? ●●

	1	2	3	4	5	6	7	8
voilà	☐	☐	☐	☐	☐	☐	☐	☐
il y a	✓	☐	☐	☐	☐	☐	☐	☐

D les provisions ●●

	1	2	3	4	5	6	7
oui	☐	☐	☐	☐	☐	☐	☐
non	☐	☐	☐	☐	☐	☐	☐

E dans le restaurant ●●

CLIENT:	1	2	3	4	5
SANDWICH	☐	☐	☐	☐	☐
SOUPE	☐	☐	☐	☐	☐
SALADE	☐	☐	☐	☐	☐
HAMBURGER	☐	☐	☐	☐	☐
PIZZA	☑	☐	☐	☐	☐
POULET	☐	☐	☐	☐	☐
FRITES	☐	☐	☐	☐	☐
FROMAGE	☐	☐	☐	☐	☐
GÂTEAU	☐	☐	☐	☐	☐
GLACE	☑	☐	☐	☐	☐
BISCUITS	☐	☐	☐	☐	☐
LAIT	☐	☐	☐	☐	☐
COCA	☑	☐	☐	☐	☐
JUS	☐	☐	☐	☐	☐

F une party chez Richard ●●

C'est vendredi soir. _____ _____ _____ une party chez Richard. Richard et ses amis

parlent et ils écoutent _____ _____ musique.

Sur la table, il y a _____ hamburgers, des _____ , de la pizza et

_____ coca. Pour le _____ , il y a un _____ magnifique!

Il y a de la _____ aussi! _____ appétit!

je prononce bien!

A écoute bien! 👀

leur
1. soeur, soir
2. jaune, jeune
3. poster, professeur
4. histoire, heure
5. docteur, dîner
6. visiter, visiteur

B *oui* ou *non*? 👀

	1	2	3	4	5	6	7	8
oui	✓	☐	☐	☐	☐	☐	☐	☐
non	☐	☐	☐	☐	☐	☐	☐	☐

C le son "r"! 👀

1. garage
2. bureau
3. après
4. crayon
5. rentre
6. regarde

7. rouge
8. radio
9. merci
10. sur
11. directeur
12. derrière

D la même chose! 👀

1. jouer, jouez
2. font, sont
3. où, août
4. roux, rouge
5. ami, amie

6. moi, mois
7. très, trois
8. tu, tout
9. faire, frère
10. vert, vers

Jouer!   Jouez!

j'écris!

A ah, les verbes!

Écris la forme correcte du verbe dans chaque phrase!

> commandes, rangent, étudie, font, habitent,
> suis, aimez mieux, avons, parlez, regardons

1. Est-ce que vous __*parlez*__ français dans la salle de classe?

2. Marie et Claire _____ leur chambre.

3. Les Charron _____ dans un appartement.

4. Qu'est-ce que tu _____ pour le déjeuner?

5. Nous ne _____ pas la télé.

6. C'est quand, le dîner? Nous _____ faim!

7. ''Est-ce que tu as de l'argent?'' ''Non, je _____ fauché!''

8. Qu'est-ce que vous _____, le hockey ou le football?

9. Est-ce qu'il _____ les maths avec M. Dubois?

10. Vingt et vingt _____ quarante.

B choisis bien!

Est-ce que c'est **du, de la, de l'** ou **des**?

1. Il commande _____ glace.

2. _____ eau, s'il vous plaît.

3. Voilà _____ biscuits!

4. Il y a _____ poulet pour le dîner.

5. Un hamburger et _____ frites, s'il vous plaît.

6. Est-ce que tu écoutes _____ musique?

7. Il y a _____ gâteau pour le dessert.

8. Est-ce que tu as _____ argent?

Nom: _____

C bon appétit!

Compose des questions et des réponses!

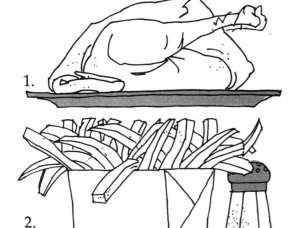

1.

ALAIN – *Est-ce que vous avez du poulet?*

L'EMPLOYÉ – *Oui, nous avons du poulet!*

2.

ALAIN – _____

_____

L'EMPLOYÉ – _____

_____

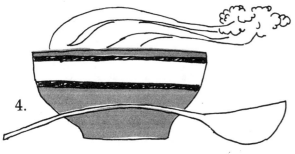

3.

ALAIN – _____

_____

L'EMPLOYÉ – _____

_____

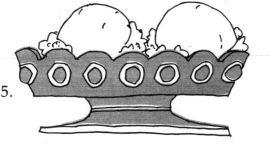

4.

ALAIN – _____

_____

L'EMPLOYÉ – _____

_____

5.

ALAIN – _____

_____

L'EMPLOYÉ – _____

_____

6.

ALAIN – _____

_____

L'EMPLOYÉ – _____

_____

D quel article?

Écris l'article correct!

1. (un, du) Il y a _un_ gymnase dans l'école.

2. (le, du) _____ frère de Marc s'appelle Henri.

3. (la, de la) Il y a _____ soupe pour le dîner.

4. (une, de la) Voilà _____ moto fantastique!

5. (l', de l') J'ai soif! Est-ce qu'il y a _____ eau?

6. (une, de la) Est-ce qu'il y a _____ moutarde dans le sandwich?

7. (un, du) Voilà _____ hamburger formidable!

8. (l', de l') _____ argent est sur la table dans la cuisine.

E *voilà* ou *il y a*?

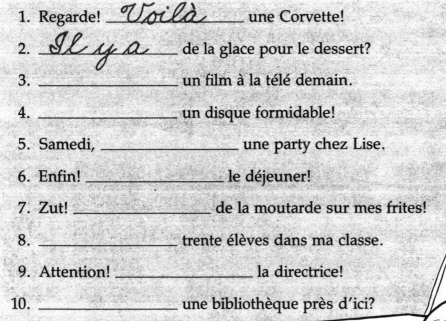

1. Regarde! _Voilà_ une Corvette!

2. _Il y a_ de la glace pour le dessert?

3. _____ un film à la télé demain.

4. _____ un disque formidable!

5. Samedi, _____ une party chez Lise.

6. Enfin! _____ le déjeuner!

7. Zut! _____ de la moutarde sur mes frites!

8. _____ trente élèves dans ma classe.

9. Attention! _____ la directrice!

10. _____ une bibliothèque près d'ici?

bon voyage!

A mots croisés: bon appétit!

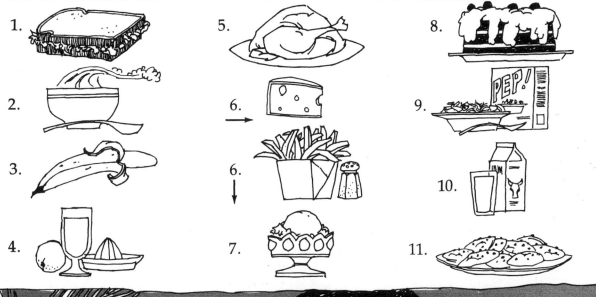

1.

2.

3.

4.

5.

6. →

6. ↓

7.

8.

9.

10.

11.

Nom: _____

B mot mystère

1. □ □ □ □ □ □ □ □
          1

2. □ □ □ □ □ □
      2

3. □ □ □
        3

4. □ □ □ □ □ □ □ □
      4   5

5. □ □ □ □ □ □ □
      6

Question: Qu'est-ce qu'il y a pour le dîner?

Réponse: Il y a du □ □ □ □ □ □ !
                    1   2   3   4   5   6

C c'est différent!

Fais une liste des différences!

A *Il est midi.* _____

_____

_____

_____

_____

_____

_____

B *Il est six heures.* _____

_____

_____

_____

_____

_____

_____

Nom: _____

D le menu

Fais un menu différent pour le dîner pour chaque jour de la semaine!

une carotte   les haricots   les spaghettis

le maïs   le jambon   les saucisses

le riz   le rosbif   une tarte

         la gelée

les petits pois   un bifteck   le pain

lundi: *Il y a du rosbif, des pommes de terre, des carottes et de la glace.*

mardi: *Il y a* _____

_____

mercredi: *Il y a* _____

_____

jeudi: *Il y a* _____

_____

vendredi: *Il y a* _____

_____

samedi: *Il y a* _____

_____

dimanche: *Il y a* _____

_____

E en français: j'ai faim!

You have just come home from school. How would you . . .

1. *say that you are hungry?*
2. *ask if there are any cookies?*
3. *ask what time dinner is?*
4. *ask what there is for dinner?*
5. *say that you don't like soup?*
6. *ask what there is for dessert?*

QUE SAIS-JE?

j'écoute!

A ah, les articles! ••

	1	2	3	4	5	6	7	8
un, une	☐	☐	☐	☐	☐	☐	☐	☐
le, la, l'	☐	☐	☐	☐	☐	☐	☐	☐
du, de la, de l'	☐	☐	☐	☐	☐	☐	☐	☐

B choisis bien! ••

1. étudies, étudiez
2. commandes, commandons
3. téléphone, téléphonez
4. font, faisons

5. font, faites
6. rentrez, rentrent
7. avez, ont
8. faites, fais

C quel verbe? ••

	1	2	3	4	5	6	7	8
faire	☐	☐	☐	☐	☐	☐	☐	☐
être	☐	☐	☐	☐	☐	☐	☐	☐
avoir	☐	☐	☐	☐	☐	☐	☐	☐

98

D les messages ●●

1.

MESSAGE

POUR: *Roger*

DE: *Robert*

_____

MESSAGE: *un match de*

_____,

soir,

à   h

2.

MESSAGE

POUR: *Mme Cormier*

DE: *Mme Dupré*
de l'école Cartier

MESSAGE: *une soirée*
des   *,*

soir, à   h

3.

MESSAGE

POUR: *Marie*

DE: *Paul*

_____

MESSAGE: *une*
chez Pierre,

soir, à   h

4.

MESSAGE

POUR: *Rocky Roland*

DE: *la station de*
radio WWOW

MESSAGE: *une*

_____,

soir, à   h

je prononce bien!

A *oui* ou *non*? ●●

	1	2	3	4	5	6	7	8
oui	☐	☐	☐	☐	☐	☐	☐	☐
non	☐	☐	☐	☐	☐	☐	☐	☐

Nom: _____

B les consonnes ●●

1. gris
2. autobus
3. cinq
4. championnat

5. neuf
6. fait
7. couleur
8. avec

C c'est ça! ●●

	1	2	3	4	5	6	7	8
oui	☐	☐	☐	☐	☐	☐	☐	☐
non	☐	☐	☐	☐	☐	☐	☐	☐

D choisis bien! ●●

<u>deux</u>

1. pleut, pour
2. moi, mieux
3. cheveux, chez
4. janvier, jeudi

5. Mathieu, Mathilde
6. Lemieux, Levert
7. bleu, bureau
8. monsieur, mademoiselle

j'écris!

A choisis bien!

Choisis A, B ou C!

☐ 1. Une réponse correcte à la question **Qu'est-ce qu'il y a pour le petit déjeuner?** c'est . . .
   - **A** Non, ce n'est pas le petit déjeuner.
   - **B** Il y a des céréales.
   - **C** Oui, il y a des céréales.

☐ 2. L'article partitif devant le nom **poulet**, c'est . . .
   - **A** du   **B** de la   **C** des

☐ 3. Le pluriel de **je fais**, c'est . . .
   - **A** nous faisons   **B** ils font   **C** vous faites

☐ 4. Dans un hamburger, il y a souvent . . .
   - **A** de la glace   **B** du lait   **C** de la moutarde

☐ 5. **Un gâteau**, c'est . . .
   - **A** un sport   **B** un dessert   **C** un fromage

☐ 6. Paul a de l'argent. Alors, il est . . .
   - **A** fâché   **B** content   **C** fauché

☐ 7. Dans le gymnase, il y a une classe . . .
   - **A** de dessin   **B** d'éducation physique   **C** d'histoire

☐ 8. Une réponse correcte à la question **À qui est-ce que tu téléphones?** c'est . . .
   - **A** Je téléphone à maman.
   - **B** Oui, je téléphone.
   - **C** Je téléphone dans la cuisine.

☐ 9. Dans une salade, il y a souvent . . .
   - **A** du coca   **B** des biscuits   **C** de l'oignon

☐ 10. D'habitude, à midi en France, c'est l'heure . . .
   - **A** du déjeuner   **B** du dîner   **C** du petit déjeuner

Nom: _____

B situations / réactions

Choisis une réaction pour chaque situation!

☐ 1. "Est-ce qu'il y a un message?"

☐ 2. "Combien de cheeseburgers est-ce que tu commandes?"

☐ 3. "Est-ce que ta mère est là?"

☐ 4. "C'est combien?"

☐ 5. "Est-ce que tu as de l'argent?"

☐ 6. "C'est tout?"

☐ 7. "Quand est-ce que tu téléphones à ton ami?"

☐ 8. "Vous désirez?"

☐ 9. "Ça, c'est une pizza formidable!"

☐ 10. "Tu es occupé?"

A "Mais non! Des frites et un root beer, s'il vous plaît!"
B "Bon appétit!"
C "Ça fait cinq dollars quatre-vingts."
D "Vers huit heures."
E "Un sandwich, s'il vous plaît!"
F "Tu parles! Moi, je suis fauché!"
G "Oui! J'étudie pour un test!"
H "Non, merci. Il n'y a pas de message!"
I "Trois! J'ai faim!"
J "Je regrette, mais elle n'est pas ici."

C ah, les verbes!

Écris la forme correcte du verbe!

1. (commander) Qu'est-ce qu'ils _____ pour le dîner?

2. (téléphoner) Vous ne _____ pas à Marcel?

3. (rentrer) Nous _____ tout de suite après les classes.

4. (faire) Ils _____ une pizza.

5. (étudier) Elles _____ pour un test de sciences.

6. (faire) Qu'est-ce que vous _____?

7. (faire) Je _____un gâteau pour le dessert!

8. (faire) Nous _____ des sandwichs.

9. (étudier) Où est-ce que tu _____?

10. (faire) Il _____ beau aujourd'hui!

D le menu

Est-ce que c'est **du**, **de la**, **de l'** ou **des**?

1. Pour le petit déjeuner, il y a _____ jus, _____ céréales et _____ toasts.

2. Pour le déjeuner, il y a _____ soupe, _____ sandwichs et _____ lait.

3. Pour le dîner, il y a _____ salade, _____ pommes de terre et _____

   poulet. Il y a _____ eau aussi.

4. Pour le dessert, il y a _____ biscuits, _____ glace et _____ gâteau!

5. Sur la pizza, il y a _____ oignon et _____ fromage.

E les questions

Réponds à chaque question par une phrase complète!

1. Qu'est-ce que tu fais après les classes?

   _____

   _____

2. Où est-ce que tu fais tes devoirs?

   _____

   _____

3. D'habitude, à quelle heure est le dîner chez toi?

   _____

   _____

4. Qu'est-ce que tu aimes dans ton hamburger? (2 choses)

   _____

   _____

5. Combien d'argent est-ce que tu as?

   _____

   _____

6. D'habitude, à qui est-ce que tu téléphones?

   _____

   _____

TOUT ENSEMBLE

j'écoute!

A les conversations ••

> dans la rue, à un match de soccer, dans un restaurant, dans une école,
> dans un supermarché, dans un gymnase, à la maison, dans une classe de maths

1. _____
2. _____
3. _____
4. _____
5. _____
6. _____
7. _____
8. _____

B quel verbe? ••

1. Vous (faites, êtes, avez) d'ici?
2. Monique (fait, est, a) fauchée.
3. Où (ont, sont, font) vos parents?
4. Est-ce que tu (es, as, fais) une pizza?
5. Je n'(suis, ai, fais) pas faim.
6. Ils (ont, sont, font) deux frères et une soeur.
7. Nous (avons, faisons, sommes) des disques.
8. Il ne (fait, est, a) pas beau aujourd'hui.

C choisis bien! ••

	1	2	3	4	5	6	7	8
phrase affirmative	☐	☐	☐	☐	☐	☐	☐	☐
phrase négative	☐	☐	☐	☐	☐	☐	☐	☐
phrase interrogative	☐	☐	☐	☐	☐	☐	☐	☐

D écoute bien! ●●

1. Où sont vos (parents, enfants)?
2. Tu es (fâché, fauché)?
3. Il n'(étudie, écoute) pas.
4. Marc a les yeux (bruns, bleus).
5. De l'(oignon, eau), s'il vous plaît!
6. Leur voiture est (pratique, magnifique).
7. Voilà une (auto, moto) formidable!
8. Est-ce que tu aimes (l'histoire, le soir)?

E *vrai* ou *faux*? ●●

	V	F
1. Chantal arrive à une heure.	☐	☐
2. L'autobus est devant l'école.	☐	☐
3. Je collectionne les insectes.	☐	☐
4. Maman commande de la soupe.	☐	☐
5. Henri aime mieux l'éducation physique.	☐	☐
6. Les garçons font leurs devoirs.	☐	☐
7. Il est midi.	☐	☐
8. Nous parlons anglais.	☐	☐

F à l'aéroport ●●

	HEURE	VOL	DESTINATION	PORTE
1.	___ h ___	# ___	Montréal	___
2.	___ h ___	# ___	Vancouver	___
3.	___ h ___	# ___	Moncton	___
4.	___ h ___	# ___	Regina	___
5.	___ h ___	# ___	Thunder Bay	___

G la journée de Nathalie ●●

☐ 1. Nathalie arrive à l'école à . . .
   A huit heures et quart   **B** huit heures et demie   **C** huit heures

☐ 2. Elle parle avec ses amis dans . . .
   A la salle de classe   **B** le gymnase   **C** la cour

☐ 3. À neuf heures, elle a une classe de . . .
   A maths   **B** musique   **C** français

☐ 4. Après les classes, elle fait . .
   A de la soupe   **B** des sandwichs   **C** une pizza

☐ 5. Elle joue au Ping-Pong avec . . .
   A sa mère   **B** son père   **C** son frère

☐ 6. Elle fait ses devoirs après . . .
   A le déjeuner   **B** le dîner   **C** le petit déjeuner

je prononce bien!

A la liaison ●●

1. Ils habitent dans un appartement.
2. Nous arrivons à huit heures.
3. Quand est-ce que vous invitez vos amis?
4. Ils ont deux enfants.

B les accents ●●

1. telephone
2. eleve
3. allo
4. garcon

5. fache
6. a cote
7. francais
8. apres

C choisis bien! ●●

	1	2	3	4	5	6	7	8
chez	☐	☐	☐	☐	☐	☐	☐	☐
très	☐	☐	☐	☐	☐	☐	☐	☐

Nom: _____

D c'est ça! ●●

	1	2	3	4	5	6	7	8
pour	☐	☐	☐	☐	☐	☐	☐	☐
sur	☐	☐	☐	☐	☐	☐	☐	☐

E les voyelles ●●

1. madame: auto, argent, ami, samedi
2. de: demain, vendredi, devant, des
3. es: poulet, chez, dessert, après
4. télé: anglais, aimer, économe, jouez
5. Guy: petit, moi, facile, stylo
6. eau: allô, auto, bureau, porte
7. robe: favori, radio, octobre, comme
8. cour: rouge, couleur, tout, autobus
9. sur: bonjour, brune, musique, rue
10. leur: soeur, neuf, heure, salut
11. deux: sur, cheveux, monsieur, mieux

j'écris!

A choisis bien!

Choisis A, B ou C!

☐ 1. Le contraire de l'adjectif **noire**, c'est . . .
   A blanc   **B** blanche   **C** blanches

☐ 2. Julie a les cheveux . . .
   A noirs   **B** bleus   **C** verts

☐ 3. Le pluriel de **j'arrive**, c'est . . .
   A vous arrivez   **B** tu arrives   **C** nous arrivons

☐ 4. D'habitude, dans le salon, papa . . .
   A regarde la télé   **B** joue au basket-ball   **C** range sa chambre

☐ 5. Cinquante et quarante font . . .
   A dix   **B** cent   **C** quatre-vingt-dix

☐ 6. Une réponse correcte à la question **Quelle heure est-il?** c'est . . .
   A Il est content.   **B** Il est midi.
   C Il arrive après les classes.

☐ 7. Le pluriel de **elle fait ses devoirs,** c'est . . .
   A Elles ont des devoirs.   **B** Elles font leurs devoirs.
   C Elles font mes devoirs.

☐ 8. Une réponse correcte à la question **Qu'est-ce que tu fais?** c'est . . .
   A Je regarde la télé.   **B** Oui, je fais mes devoirs.
   C Il fait chaud.

☐ 9. Dans un restaurant, une réponse correcte à la question **Vous désirez?** c'est . . .
   A De la soupe, s'il vous plaît.   **B** Oui, j'ai faim.
   C Non, je n'aime pas la soupe.

☐ 10. Dans le sandwich, il y a . . .
   A de la glace   **B** de l'eau   **C** du fromage

Nom: _____

B situations / réactions

Choisis une réaction pour chaque situation!

☐ 1. "Il y a un insecte dans ma soupe!"

☐ 2. "Zut! Je suis fauché!"

☐ 3. "J'ai deux billets pour le concert de Rocky Roland!"

☐ 4. "Est-ce qu'il y a un match ce soir?"

☐ 5. "Tu marques souvent des buts?"

☐ 6. "Est-ce que Margot est là?"

☐ 7. "Tu aimes les tests?"

☐ 8. "Il y a une party chez Jacqueline."

☐ 9. "Pierre marque souvent des buts!"

☐ 10. "Ton émission favorite est à la télé!"

A "Mais naturellement! Pour moi, c'est facile!"
B "Formidable! Allons-y!"
C "Bien sûr! C'est le capitaine de l'équipe!"
D "Mais oui! C'est pour le championnat!"
E "Pas de problème! Voici cinq dollars!"
F "Tu parles! Ils sont horribles!"
G "Oh là là! Regarde!"
H "Je regrette, mais elle n'est pas là."
I "Chouette! J'adore sa musique!"
J "Ah, bon! J'arrive tout de suite!"

C c'est une question!

Écris l'expression interrogative correcte!

1. "_____ tu téléphones à Denise?" "C'est ça!"

2. "_____ les enfants font?" "Des sandwichs."

3. "_____ est le bureau?" "Près du gymnase."

4. "_____ invite Maurice?" "Alain."

5. "_____ est-ce qu'ils arrivent?" "Vers sept heures."

6. "_____ est-ce que vous étudiez?" "Parce que nous avons un test demain."

110 Copyright © 1983 Addison-Wesley Publishers Limited

Nom: _____

D j'adore les verbes!

(a) Écris la forme correcte du verbe!
(b) Écris la phrase à la négative!

1. (étudier) Tu _____ pour le test?

   _____

2. (jouer) Margot _____ au soccer.

   _____

3. (téléphoner) M. Dubé _____ à son père.

   _____

4. (commander) Tu _____ le poulet?

   _____

5. (rentrer) Vous _____ tout de suite?

   _____

6. (visiter) Nous _____ les Leclair.

   _____

7. (arriver) J' _____ à midi.

   _____

8. (être) Vous _____ occupé?

   _____

9. (avoir) Elles _____ faim.

   _____

10. (faire) Nous _____ nos devoirs.

   _____

Nom: _____

E ah, les articles!

Est-ce que c'est　(a) un　(b) le　(c) du　?
　　　　　　　　　　une　　　la　　　de la
　　　　　　　　　　des　　　les　　de l'
　　　　　　　　　　　　　　l'

1. Voilà _____ voiture magnifique!

2. _____ père de Marc visite Toronto.

3. _____ soupe, s'il vous plaît!

4. Il a _____ yeux bruns.

5. Il y a _____ toasts pour le petit déjeuner.

6. Il y a _____ match de volley-ball dans le gymnase.

7. Il y a _____ oignon sur la pizza.

8. _____ école est dans la rue Bertrand.

9. Est-ce qu'il y a _____ ketchup?

10. _____ voiture des Leblanc est verte.

F les adjectifs

Écris la forme correcte de l'adjectif!

1. (blanc) Leur maison est _____.

2. (bleu) Il a les yeux _____.

3. (fauché) Nous sommes _____.

4. (gris) Il a les cheveux _____.

5. (favori) Voilà ma voiture _____.

6. (grand) Notre école est _____.